C0-AYM-288

Des cannibales,
suivi de
Des coches

■ Théodore de Bry (1528-1598), gravure issue de l'ouvrage *Grands Voyages, Americae pars quarta*, 1594.

Sur cette gravure, Christophe Colomb débarque sur l'île d'Hispaniola et reçoit des présents des peuples indigènes tandis que ses compagnons dressent une croix de bois.

ÉTONNANTS • CLASSIQUES

MONTAIGNE

Des cannibales,
suivi de
Des coches

Adaptation en français moderne et notes par
CHRISTIAN KEIME,
professeur agrégé de lettres classiques

Présentation, chronologie et dossier par
CAROLINE CHARLET,
professeure agrégée de lettres modernes

Flammarion

De Montaigne dans la même collection

Essais

ISBN : 978-2-0814-8981-3
ISSN : 1269-8822

SOMMAIRE

PRÉSENTATION

Montaigne et son livre

Michel Eyquem naît le 28 février 1533 au château de Montaigne, entre le Bordelais et le Périgord. Ses parents viennent tous deux de familles bordelaises qui ont fait fortune dans le commerce du vin, du poisson et de l'indigo [1]. L'écrivain est le premier de sa lignée à porter le titre nobiliaire issu de l'acquisition du domaine de Montaigne par son arrière-grand-père paternel. Son père Pierre Eyquem a une grande admiration pour la culture antique qu'il connaît pour avoir mené une campagne militaire en Italie aux côtés de François Ier ; il prend un précepteur pour apprendre à son fils à parler couramment le latin avant même de savoir le français. À 6 ans, Montaigne est envoyé au prestigieux collège de Guyenne à Bordeaux. À l'en croire, l'enseignement traditionnel qu'il y reçoit n'a d'autre effet que de corrompre les bienfaits de sa première éducation. Sept années plus tard, à sa sortie du collège, il commence sans doute des études de droit à Toulouse.

En 1557, Montaigne est nommé à la Chambre des requêtes du parlement de Bordeaux, une importante cour de justice. Au cours des treize années qu'il y passe, il apprend à examiner des

1. *Indigo* : colorant de couleur bleue issu de l'indigotier.

cas particuliers : cette pratique aura une influence importante sur l'écriture des *Essais*. Durant l'exercice de ses fonctions, il réfléchit aussi à l'utilité et à l'imperfection des lois. En 1558, il fait la rencontre d'Étienne de La Boétie [1], conseiller au parlement de Bordeaux, avec qui il noue une amitié exemplaire, célébrée dans le chapitre « De l'amitié ». Pendant cette période, Montaigne fait de nombreux séjours à Paris et à la cour. En 1565, il épouse Françoise de La Chassaigne ; le couple aura six filles, dont cinq mourront en bas âge. À 35 ans, en 1568, Montaigne hérite, en sa qualité d'aîné, de la fortune familiale, à la suite du décès de son père. Il vend sa charge de conseiller et se retire dans son château. Il se consacre à la rédaction des *Essais* qu'il commence vers 1571. Outre cette occupation et la gestion de ses terres, il fréquente assidûment la cour et se distingue auprès des rois Charles IX [2] puis Henri III [3], qui l'emploient à des négociations politiques délicates. Dans le contexte des guerres de Religion [4] qui éclatent en 1562, les deux souverains doivent en effet faire face aux conquêtes ambitieuses du parti protestant et aux réactions violentes de la Ligue catholique [5] dirigée par la famille de Guise.

---

1. *Étienne de La Boétie* (1530-1563) : écrivain humaniste et poète français ; son amitié avec Montaigne s'achève de manière prématurée à sa mort, cinq ans après leur rencontre.
2. *Charles IX* (1550-1574) : roi de France de 1560 à 1574.
3. *Henri III* (1551-1589) : roi de France de 1574 à 1589, issu de la dynastie des Valois ; son règne est marqué par quatre conflits religieux qu'il ne parvient pas à contenir ; il meurt assassiné par la Ligue catholique.
4. *Guerres de Religion* : querelles religieuses sanglantes qui virent s'affronter catholiques et protestants sur le sol français entre 1562 et 1595.
5. *Ligue catholique* : organisation catholique française fondée par Henri de Guise (1550-1588) qui lutta violemment contre le protestantisme, au point de menacer la monarchie française fragilisée par les guerres de Religion.

En 1580 paraît une première édition des *Essais*, dont le succès dépasse les frontières du royaume. Atteint de gravelle [1] qui le fait souffrir, Montaigne entreprend un voyage d'un an dans des villes thermales. Il passe par l'est de la France, la Suisse, l'Allemagne, l'Autriche et l'Italie. C'est l'occasion pour lui de rencontrer d'autres hommes et d'observer leurs coutumes ; l'auteur en tire un *Journal de voyage*.

En août 1581, alors qu'il est en Italie, des émissaires de Bordeaux viennent lui annoncer qu'il a été élu maire de la ville. Le roi Henri III l'enjoint d'accepter cette fonction dans la région de Guyenne où les affrontements entre protestants et catholiques sont très violents. Après deux ans, Montaigne est réélu pour un second mandat jusqu'en 1585. Il joue le rôle de conciliateur entre le roi et Henri de Navarre [2] et doit faire face à une épidémie de peste qui décime un tiers de la population bordelaise. Son domaine est pillé par des soldats catholiques venus assiéger la ville de Castillon et la peste s'y déclare. Il fuit alors avec les siens en août 1586 et erre pendant sept mois entre divers refuges. C'est dans ce contexte qu'il écrit la deuxième version des *Essais*, augmentée d'un troisième livre, qu'il porte à un éditeur parisien en 1588. À cette occasion, il rencontre Marie de Gournay, une jeune intellectuelle de trente-deux ans sa cadette qui deviendra sa « fille d'alliance [3] ». Avec le roi, Montaigne tente en vain de rétablir la paix, puis fuit la capitale lors

1. *Gravelle* : maladie provoquée par des calculs rénaux.
2. *Henri IV, roi de Navarre* (1553-1610) : roi de France de 1589 à 1610, issu de la dynastie des Bourbons ; protestant, Henri de Navarre se convertit au catholicisme pour accéder à la Couronne ; son règne fut marqué par la promulgation de l'édit de Nantes en 1598, traité de paix qui tolère la religion protestante sur le sol français.
3. *Essais*, II, 17, « De la présomption » ; nous modernisons les citations.

de la journée des Barricades [1]. En revenant à Paris, il est enfermé à la Bastille par des ligueurs catholiques, puis libéré le même jour sur intervention de Catherine de Médicis. De retour chez lui, il continue à prodiguer ses conseils à Henri de Navarre, seul héritier du trône. Il se consacre surtout à l'annotation de son exemplaire des *Essais*, nommé « exemplaire de Bordeaux », à partir duquel Marie de Gournay et Pierre de Brach feront paraître la dernière version du livre en 1595 – soit trois ans après la mort de son auteur, le 13 septembre 1592.

À en croire l'adresse au lecteur, les *Essais* ont pour but de laisser aux proches de Montaigne une image fidèle de leur auteur. Celui-ci présente son œuvre comme un autre lui-même, un double de papier : « je suis moi-même la matière de mon livre [2] ». Les *Essais* sont en effet un portrait de la pensée de Montaigne : en mettant « à l'essai » sa capacité de juger sur divers sujets qui se présentent à lui, l'auteur se dévoile. Mais il n'a pas la prétention de parvenir à une vérité certaine et définitive, comme le montre la devise « Que sais-je ? » qu'il fait frapper sur une médaille. En confrontant les opinions et les témoignages sur un même sujet, qu'ils soient issus de ses propres réflexions comme de celles de ses connaissances ou d'auteurs antiques qu'il cite abondamment, Montaigne cherche à suspendre le jugement. Faute de pouvoir parvenir à des certitudes immuables, il entreprend de présenter un homme avec ses défauts pour en faire un exemple de la relativité du jugement humain. Il donne ainsi forme à une éthique de la modestie et

1. *Journée des Barricades* : soulèvement populaire organisé par la Ligue catholique qui eut lieu à Paris en 1588 et provoqua la fuite d'Henri III.
2. *Essais*, « Au lecteur ».

de la curiosité face à l'altérité. L'auteur applique ses principes sceptiques [1] à son propre jugement, dont il souligne la relativité, proposant une pensée en mouvement contre la fixité des opinions [2]. C'est ce qu'atteste par exemple la mention que l'auteur fait dans « Des coches » de son précédent chapitre « Des cannibales » quand il dit : « mes cannibales pourraient en témoigner » (p. 135). Cette allusion montre la progression continue de la réflexion sur le sujet, et le retour réflexif de la pensée sur elle-même.

« Tout le monde me reconnaît en mon livre, et mon livre en moi [3]. » En assumant un portrait sincère et un regard réflexif, les *Essais* visent à la rencontre d'un lecteur ami. Pourvu que Montaigne puisse trouver de son vivant quelqu'un « de qui les humeurs [lui] soient bonnes, à qui [s]es humeurs soient bonnes », il annonce qu'il ira lui « fournir des *Essais* en chair et en os » [4]. Car l'exercice de la pensée s'éteint s'il n'est pas partagé et confronté avec les autres : « Il n'est à l'aventure rien de plus plaisant dans les relations entre les hommes, que les essais que nous faisons les uns contre les autres [5]. »

---

1. *Sceptique* : voir Lexique, p. 150.
2. Par exemple, dans « Des coches », il critique les dépenses excessives des Romains mais les replace aussitôt dans leur contexte historique et les excuse du point de vue de critères esthétiques.
3. *Essais*, III, 9, « De la vanité ».
4. *Essais*, III, 5, « Sur des vers de Virgile ».
5. *Essais*, III, 7, « De l'incommodité de la grandeur ».

La rencontre des deux mondes

Le chapitre « Des cannibales » est le trente et unième du livre I des *Essais*, d'abord publié en 1580. L'auteur s'intéresse aux peuples de la France antarctique [1], une colonie située en territoire brésilien. Ces tribus, en particulier celle des Tupinambas, sont connues à l'époque grâce aux récits de voyageurs publiés dans les années 1570 [2]. Le mot « cannibale » est issu de l'arawak [3] *caniba*, une altération du nom *cariba* par lequel les Indiens des Petites Antilles se désignaient eux-mêmes, et qui signifie « hardi, courageux ». D'abord appliqué aux tribus des Antilles, ce terme prend vite en Europe un sens plus général puisqu'il sert à désigner les peuples du Nouveau Monde sans distinction d'origine. Rapidement, il est associé à l'idée d'anthropophagie [4].

Le chapitre « Des coches » est le sixième du livre III des *Essais*, publié de façon posthume en 1595. À en croire le titre, qui renvoie aux véhicules de l'époque, l'auteur s'apprête à parler des moyens de transport. C'est pourtant une réflexion d'un autre ordre que mène Montaigne, qui s'interroge sur la découverte et la colonisation du Nouveau Monde et revient en particulier sur la conquête du Pérou et du Mexique par les Espagnols au début du XVIe siècle.

---

1. *France antarctique* : colonie française implantée sur le territoire brésilien, près de Rio de Janeiro, entre 1555 et 1560.
2. André Thevet, *Cosmographie universelle* (1575) ; Jean de Léry, *Histoire d'un voyage fait en la terre du Brésil* (1578).
3. *Arawak* : langue des Amérindiens des Antilles issus de la forêt amazonienne.
4. *Anthropophagie* (du grec *phagein*, « manger » et *anthropos*, « être humain) : fait de manger de la chair humaine.

Ces deux chapitres sont l'occasion d'un plaidoyer en faveur des Amérindiens qui retrace les violences que leur firent subir les conquérants espagnols et développe une réflexion philosophique sur l'altérité et sur l'organisation des sociétés humaines.

Un réquisitoire contre les conquêtes

Dans les deux chapitres, Montaigne part de l'image négative qui domine en Europe sur les peuples du Nouveau Monde pour mieux la renverser. Parce qu'il cherche à montrer que la cruauté n'est pas le fait des anthropophages mais celui des colons, ses textes apparaissent comme des réquisitoires antieuropéens. À la façon d'un avocat, Montaigne rappelle les faits en mentionnant des événements historiques. Il s'appuie notamment sur l'*Histoire générale des Indes* de Fransisco López de Gómara (1553) ; si ce premier auteur émettait quelques critiques à l'égard des violences commises, le texte de Montaigne est quant à lui résolument polémique.

Le chapitre « Des coches » comporte ainsi le récit des atrocités commises par les Espagnols, dont les exemples les plus représentatifs sont les cruautés infligées aux chefs des pays conquis. Montaigne développe l'*exemplum* [1] d'Atahualpa, roi du Pérou, emprisonné en 1532 lors de l'entrevue de Cjamarca. Il dénonce la cupidité des colons à travers la rançon démesurée d'« un million trois cent vingt cinq mille cinq cents onces d'or » (p. 135) qu'ils exigèrent, puis leur perfidie, une fois la rançon perçue, lorsqu'ils pendirent Atahualpa sous prétexte de complot. L'autre exemple édifiant est la torture et la mise à mort du roi aztèque Cuauhtémoc à l'issue du siège de Mexico, en 1521.

1. *Exemplum* : récit bref qui sert à donner un exemple de comportement ou de morale.

Montaigne suscite l'indignation de ses lecteurs en dressant le tableau pathétique des supplices de ces rois, dont la bravoure renforce par contraste la lâcheté et la vilenie des colons.

Montaigne restitue aussi de façon précise le *requerimiento* (p. 133), discours par lequel les Espagnols se présentaient aux Amérindiens comme les propriétaires des terres conquises au nom de leur roi et de Dieu. Il rallie le lecteur à sa cause en soulignant le ridicule des envahisseurs qui se réclament de l'autorité de personnes que ne peuvent pas connaître les Amérindiens. Il dénonce enfin l'hypocrisie de la parole des colons lorsqu'ils prétendent vouloir de l'or pour un usage médical. Ce mensonge, « maudit vice [1] », selon Montaigne, souligne encore le manque de scrupules des conquistadors espagnols poussés par l'appât du gain.

Un plaidoyer pour la réhabilitation des Amérindiens

Tout en condamnant les atrocités des colons, Montaigne prend la défense des peuples amérindiens et en fait même l'éloge. Il explique dans « Des coches » que leur défaite militaire ne tient pas à leur manque de courage, mais s'explique par la supériorité technique des colons, qui étaient pourvus de chevaux, d'acier et d'armes à feu face aux « arcs, [...] pierres, [...] bâtons et [...] boucliers de bois » (p. 129) des peuples du Mexique et du Pérou. À armes égales, la victoire aurait été aux Amérindiens, plus valeureux selon Montaigne. L'auteur illustre ici une idée déjà avancée dans « Des cannibales » : ce n'est pas l'absence de courage qui cause la défaite, mais le manque de chance :

1. *Essais*, I, 9, « Des menteurs ».

> celui qui, malgré le danger de la mort imminente, ne cède rien de son assurance, qui, en rendant l'âme, regarde encore son ennemi d'un œil ferme et dédaigneux, cet homme est battu non pas par nous, mais par le sort ; il est tué, mais pas vaincu (p. 77 et 79).

La gloire militaire et la ténacité des Amérindiens forcent en effet l'admiration « [q]uant à la hardiesse et au courage, quant à la fermeté, à la constance, à la résolution contre les douleurs, la faim et la mort » (p. 127), signes, chez tout un peuple, d'une bravoure admirable, « cette noble obstination à supporter toutes les extrémités, toutes les difficultés, et la mort plutôt que de se soumettre à la domination » (p. 129). Le point d'orgue de ce plaidoyer réside en un retournement paradoxal : c'est leur vertu qui a perdu les Amérindiens, leur supériorité morale qui les a desservis face à la perfidie des colons :

> quant à la piété, au respect des lois, à la bonté, la libéralité, la loyauté, la franchise, il nous a été bien utile de ne pas en avoir autant qu'eux : par cet avantage qu'ils avaient sur nous, ils se sont perdus (p. 127).

Montaigne n'élude pas la question de l'anthropophagie, qui choque tant les Européens, et trouve même dans le traitement de ce thème l'occasion d'une valorisation éthique paradoxale. S'il évoque précisément les menaces d'un prisonnier amérindien condamné à mort dans « Des cannibales », c'est pour valoriser l'inventivité et le courage dont le prisonnier fait preuve dans ses invectives à l'ennemi, plutôt que de s'attarder sur le contenu de son propos – qui dessine une généalogie du cannibalisme et évoque la dévoration des ancêtres, ce qui a de quoi choquer le lecteur. Contrairement à Jean de Léry [1], Montaigne ne décrit pas

1. Voir Groupement de texte n° 2, p. 182.

l'acte anthropophage mais en explique plutôt les raisons, marquées d'une éthique positive. La dévoration est ainsi justifiée par sa valeur symbolique : « c'est pour exprimer une extrême vengeance » (p. 71). Par ailleurs, l'auteur accorde une importance toute particulière à la « suffisance [1] » (p. 84) manifestée dans les paroles du prisonnier ainsi que dans celles de la chanson guerrière qu'il cite peu après, suffisance dans laquelle il voit une preuve de l'intelligence de ces peuples qui assument de manière consciente et réfléchie leurs propres usages. À la place de scènes d'anthropophagie, l'auteur évoque la convivialité des repas qui se déroulent pour l'occasion : les cannibales y « mangent une partie en commun et en envoient des morceaux à leurs amis absents » (p. 69). Cet usage confirme la représentation d'une sociabilité agréable, dans une société où « [t]oute la journée se passe à danser » (p. 65) tandis que les jeunes gens vont à la chasse. Ce tableau vise à susciter la bienveillance des lecteurs du XVIe siècle, pour qui la danse et la chasse sont des divertissements prisés. Ainsi, l'évocation de l'anthropophagie sert à valoriser l'héroïsme du prisonnier cannibale ; elle trouve son explication dans une représentation culturelle guerrière, et donne lieu à un repas caractérisé par le savoir-vivre en communauté. Les cannibales ne sont donc pas des brutes sanguinaires, mais les défenseurs admirables d'une civilisation raffinée. Le degré d'avancement de cette culture est par ailleurs illustré dans « Des coches » par l'évocation de l'urbanisme de Cusco ou de Mexico (p. 127 et 145), ainsi que par la mention de la beauté des poésies et des chants amérindiens (p. 85).

La défense de Montaigne passe par une attention portée à la spécificité de l'autre : parce qu'il veut exprimer et expliquer les

1. *Suffisance* : esprit, intelligence.

traits saillants de l'altérité, sa démarche implique de lui laisser la parole. Cela est remarquable dans la progression du chapitre « Des cannibales » : Montaigne commence en effet par considérer le Nouveau Monde à travers le prisme de références littéraires antiques, puis se rapporte au témoignage véridique d'un homme qui a côtoyé les Amérindiens, avant de décrire leurs objets, de citer leur chanson et de conclure par la prise de parole des Tupinambas effectivement rencontrés à Rouen. À la fin du chapitre, le terme « nouveauté » (p. 85) caractérise l'Europe telle qu'elle est vue par les cannibales, preuve d'un déplacement radical du regard.

Un détour par l'autre

La France est vue depuis la « France antarctique », expression qui signifie littéralement « aux antipodes de la France ». Ce décentrement géographique est l'occasion pour Montaigne d'une prise de distance réflexive et d'une critique de la société française qui emprunte parfois à la satire. Lorsque l'essayiste déclare que les Tupinambas « ne se disputent pas pour la conquête de nouvelles terres » (p. 73) et n'ont « que faire » (p. 75) des biens des vaincus, la comparaison implicite joue en défaveur des pratiques européennes, rappelées à travers la logique d'appropriation territoriale des conquistadors espagnols dans « Des coches ».

Par un effet miroir, la thématique du cannibalisme permet à Montaigne de renvoyer le lecteur aux violences de sa propre société, celles des guerres de Religion qui ensanglantent la France depuis 1562, et qui ont été l'occasion d'actes de barbarie et d'anthropophagie.

> Je pense qu'il y a plus de barbarie à manger un homme vivant qu'à le manger mort, à déchirer par des tortures et des supplices

> un corps qui a encore toute sa sensibilité, à le faire rôtir à petit feu, le faire mordre et blesser par les chiens et les pourceaux (comme nous l'avons, non seulement lu, mais vu de fraîche date, non entre des ennemis d'autrefois, mais entre des voisins et des concitoyens, et, ce qui est pire, sous prétexte de piété et de religion), que de le rôtir et le manger une fois qu'il est mort (p. 71).

À bien y regarder, les Français sont pires barbares, pour s'être dévorés entre personnes du même peuple. Un constat similaire est dressé dans « Des coches » au sein du camp espagnol : en disant que les conquistadors se sont « dévorés entre eux » (p. 141) au moment du partage des richesses, Montaigne rappelle les meurtres commis entre colons (Pizzaro [1] mit ainsi à mort Almagro en 1538 et son fils en 1542) par une expression qui renvoie volontairement à l'anthropophagie.

Envisager l'autre comme un être de raison capable de juger, c'est permettre par son biais un retour critique sur soi et sur ses propres pratiques sociales. À la fin du chapitre « Des cannibales », alors que les Français cherchent à faire valoir les qualités de leur civilisation, les Tupinambas constatent avec surprise les injustices sociales et la passivité des plus pauvres, là où l'égalité préside dans leur communauté. De plus, en s'étonnant que les gardes obéissent à un enfant (Charles IX a alors douze ans), les Amérindiens rappellent les valeurs qui fondent le pouvoir royal, et desquelles l'usage français s'est éloigné : la bravoure et la force au combat [2]. L'auteur promeut ainsi les bienfaits du dialogue

---

1. *Hernando Pizarro* (1500-1578) : conquistador espagnol qui participa à la conquête de l'Empire inca avec ses frères (voir note 1, p. 141) et la famille Almagro ; rapidement, des dissensions éclatent dans le groupe et Hernando finit par faire exécuter Diego de Almagro après la bataille de Las Salinas (1538).
2. Dans « De l'art de conférer » (*Essais*, III, 8), Montaigne constate de la même manière que ses contemporains se soumettent aux rois eu égard non plus à leur mérite individuel, mais à leur statut.

entre civilisations, qui permet de lutter contre les préjugés et de réfléchir sur ses usages. Il donne à ses lecteurs une leçon de relativisme.

Connaître l'autre pour mieux se juger

Le relativisme culturel

« Je n'ai point cette erreur commune, de juger d'un autre selon ce que je suis [1]. » Voilà une définition du relativisme à l'œuvre dans les *Essais*. Les chapitres « Des cannibales » et « Des coches » sont ainsi deux manifestes contre l'ethnocentrisme [2], dans lesquels Montaigne remet en perspective les principes de barbarie et de perfection culturelle :

> chacun appelle barbarie ce qui n'est pas dans ses coutumes ; et en vérité, il semble que nous n'avons d'autre critère de la vérité et de la raison que l'exemple et l'idée générale qui nous viennent des opinions et des usages du pays où nous sommes. Là se trouve toujours la parfaite religion, le parfait gouvernement, la façon la plus parfaite et la plus complète de tout faire (p. 57).

« Des cannibales » s'ouvre sur une maxime qui entame la réflexion contre les préjugés : « il faut se garder de s'attacher aux opinions courantes, et juger en suivant la voie de la raison,

1. *Essais*, I, 37, « Du jeune Caton ».
2. *Ethnocentrisme* : voir Lexique, p. 149.

sans écouter la voix commune » (p. 47). Dans les deux chapitres, la défense des Amérindiens repose sur le questionnement et le vacillement orchestré des *a priori* européens. Par exemple, Montaigne déplace la nuance péjorative du mot « sauvage » en jouant sur la polysémie du terme lorsqu'il mentionne les fruits « sauvages » (p. 57), qui ne sont pas corrompus par les hommes. Ce tremblement du sens permet de suspendre le jugement du lecteur et d'introduire par la suite un éloge des cannibales qui va contre l'opinion répandue. Ce faisant, Montaigne reprend le genre rhétorique de la *declamatio*, ou éloge paradoxal [1], pour la défense d'une thèse qui lui est chère. En proposant des idées à l'encontre de ce qui est communément admis, cet exercice oblige à un décentrement et aboutit à une relativisation des opinions.

Pour Montaigne, l'absolue vérité est d'ordre divin, elle est étrangère à la raison humaine qui est insuffisante par nature : « Nous sommes nés pour chercher la vérité, il appartient de la posséder à une plus grande puissance [...] élevée à la hauteur infinie de la connaissance divine [2]. » Cela concerne aussi ce que l'on peut savoir sur Dieu – ce qu'oublient, selon Montaigne, les prédicateurs protestants. Dès lors, les Européens ne possèdent pas plus que les Amérindiens la capacité d'accéder à la vérité, sur laquelle tous les hommes sont largement ignorants. Le scepticisme de Montaigne se concilie donc aisément avec le relativisme culturel.

Or celui-ci fait défaut aux colons. Le *requerimiento* révèle que les conquistadors sont enfermés dans leur ethnocentrisme,

---

1. *Éloge paradoxal* : défense et promotion d'une chose ou d'une idée que l'on juge ordinairement mauvaise ou indigne (étymologiquement, *paradoxal* signifie « qui va contre la *doxa* », c'est-à-dire l'opinion répandue).
2. *Essais*, III, 8, « De l'art de conférer ».

c'est-à-dire dans la certitude que seuls prévalent leurs modes de représentation, qu'ils élèvent au rang de vérités générales. Ils trahissent ainsi un manque de conscience délétère de la diversité des coutumes et des usages humains, sujet qui passionne Montaigne [1]. *A contrario*, l'auteur ne cesse de valoriser la curiosité pour l'autre, historique comme géographique, par la lecture des auteurs antiques et l'habitude du voyage [2], afin de voir la variété des coutumes. Il montre que nos mœurs ne sont qu'accidentellement liées à notre lieu de naissance ; ce sont l'habitude et l'usage qui ont entraîné l'acceptation des coutumes occidentales, indépendamment de leur valeur intrinsèque.

Dès lors, il est possible de lire le titre « Des coches » comme une métaphore : l'instabilité du moyen de transport renvoie à celle de notre jugement dans un monde qui l'interroge sans cesse par ses propres mouvements et sa diversité. Montaigne clôt son chapitre sur le siège d'Atahualpa, perfidement renversé par Pizarro du haut de son cheval. Se placer dans le « coche » du chef péruvien permet au lecteur de vivre, en lieu et place de ceux qui en sont les victimes, la violence du renversement irrémédiable d'une civilisation au contact de la nôtre.

Mobiliser des références culturelles connues

Comment penser l'autre dans sa différence radicale ? Pour répondre, Montaigne utilise les outils de sa propre culture. La

1. Ce que montre notamment le chapitre « De la coutume » (*Essais*, I, 23).
2. Dans « De la vanité » (*Essais*, III, 9), Montaigne déclare à propos des voyages : « je ne connais aucune meilleure école [...] à former la vie, que de lui proposer sans relâche la diversité de tant d'autres vies, représentations et usages, ni que de lui faire goûter la variété continue des formes de notre nature ».

formule « il y a une distance étonnante entre leur façon d'être et la nôtre » (p. 83) souligne la différence, pour cependant laisser place à une suite de mises en parallèle avec des éléments culturels européens. Pour penser le nouveau continent, Montaigne le compare à l'Atlantide dont parlait Platon. L'idée d'une corruption apportée par la civilisation est quant à elle un héritage d'historiens antiques comme Hérodote, Thucydide ou Tacite, qui faisaient l'apologie des peuples restés proches de la nature. Elle est renouvelée à l'époque de Montaigne par le « mythe du bon sauvage [1] » véhiculé par des voyageurs comme Villegagnon [2], qui s'établit en France antarctique en 1557. Montaigne croit reconnaître dans les Tupinambas, peuple fraternel sans notion de propriété, le mythe de l'âge d'or [3] emprunté à l'Antiquité. Il fait aussi dialoguer sa description avec le projet de société idéale imaginé par Platon dans sa *République* (p. 61), que les Amérindiens surpassent, selon lui. Par le recours aux utopies et aux représentations antiques, Montaigne ramène l'inconnu au connu, dans des rapprochements en faveur du Nouveau Monde. Il cherche à suspendre le jugement négatif, sans pour autant embellir ni infléchir le contenu d'un témoignage qu'il veut sincère. Pour emporter l'adhésion du lecteur, il rapproche, dans « Des cannibales », des pratiques désapprouvées, comme la polygamie et la violence des combats dits « barbares », d'éléments culturels connus et valorisés : la Bible et l'histoire antique. Il propose ainsi à la réflexion des usages similaires à

1. *Mythe du bon sauvage* : voir Lexique, p. 149-150.
2. *Nicolas Durand de Villegagnon* (1510-1571) : explorateur français qui fonda la colonie de la France antarctique.
3. *Âge d'or* : selon le mythe grec puis romain (notamment chez Hésiode et Ovide), l'âge d'or est la première et la meilleure des quatre périodes de l'humanité, avant les âges d'argent, d'airain et de fer. Cette époque est caractérisée par la justice, la concorde et l'abondance de biens issus d'une nature providentielle.

ceux que l'on rejette chez les prétendus sauvages, pourtant connus et acceptés sans plus de questionnement dans le patrimoine culturel européen. Le lecteur peut reconnaître chez les cannibales des traits culturels semblables aux siens. En particulier, la valorisation de la gloire militaire rappelle les valeurs chevaleresques de son patrimoine.

Montaigne rapproche aussi leurs représentations et leurs arts de ceux des Européens. La cosmologie de certains peuples ressemble au mythe des âges de l'humanité : dans « Des coches », il rapporte que les Aztèques envisagent « comme nous » une dégradation à travers le temps (p. 143). La poésie amoureuse mentionnée dans « Des cannibales » comme preuve de leur esprit et du raffinement de leur langue « a une sonorité agréable, ressemblant au grec par ses terminaisons » (p. 85) familières. Elle est qualifiée par Montaigne d'« anacréontique », en référence à Anacréon, poète de l'Antiquité grecque très apprécié des poètes du XVIe siècle, notamment de ceux de la Pléiade.

Un autoportrait en cannibale ?

Les Amérindiens incarnent à ce point les règles éthiques promues par Montaigne au fil des *Essais* qu'il est difficile de ne pas y voir se dessiner un autoportrait de l'essayiste en cannibale. L'auteur fait d'ailleurs lui-même le rapprochement au seuil de l'œuvre, quand il explique son projet : « C'est moi que je peins. [...] Si j'eusse été entre ces nations qu'on dit vivre encore sous la douce liberté des premières lois de la nature, je t'assure que je m'y fusse très volontiers peint tout entier, et tout nu [1]. »

Les principes des Amérindiens du Brésil, « la vaillance contre les ennemis et l'amour pour leurs femmes » (p. 65) sont ceux

1. *Essais*, « Au lecteur ».

de Montaigne. Celui-ci déclare en effet : « Il n'y a pas d'occupation plus plaisante que l'occupation militaire ; occupation à la fois noble dans son exécution [...], et à la fois noble en sa cause [1] » ; et : « Un bon mariage [...] essaie d'imiter les conditions de l'amitié. C'est une douce vie commune, pleine de constance, de confiance et d'un nombre infini de services utiles et solides et d'obligations mutuelles [2]. » Comme les Amérindiens qui n'ont « d'autre souci » que de vivre « dans le bonheur et le plaisir » (p. 133-135), Montaigne valorise une existence agréable et calme, déclarant : « Notre grand et glorieux chef-d'œuvre, c'est vivre à propos », tandis que « [la] maladie la plus sauvage, c'est de mépriser notre être » [3]. Il faut suivre la Nature, « guide prudent et juste », et non les doctrines morales sévères : « la sagesse humaine fait bien sottement l'intelligente à essayer de réduire le nombre et la douceur des voluptés qui nous appartiennent » [4]. On peut voir dans l'unique profit que tire le chef tupinamba de son statut, à savoir « passer bien à l'aise » (p. 89), la métaphore d'un art de vivre montaignien.

Comme lui, les cannibales de Montaigne condamnent le mensonge et surtout l'usage dévoyé de l'autorité religieuse (p. 67). Dans « Des coches », les Amérindiens défendent le maintien de leurs usages face aux prétentions d'acculturation des Espagnols, notamment en matière religieuse : s'ils jugent la pensée monothéiste séduisante, ils ne veulent pas s'éloigner d'une foi « après l'avoir pratiquée avec tant de profit depuis si longtemps » (p. 135). De la même manière, Montaigne fait profession de respecter la coutume de son pays : « la plupart de

1. *Essais*, III, 13, « De l'expérience ».
2. *Essais*, III, 5, « Sur des vers de Virgile ».
3. *Essais*, III, 13, « De l'expérience ».
4. *Essais*, I, 30, « De la modération ».

mes actions se conduisent par conformité, non par choix [1] ». Comme Montaigne, c'est après réflexion que les cannibales acquiescent en conscience à leurs coutumes :

> que l'on n'aille pas s'imaginer que tout cela se produit à cause d'une simple et servile soumission à leur tradition et sous la pression exercée par l'autorité de leurs coutumes ancestrales, sans réflexion et sans jugement (p. 85).

Comme Montaigne cherche à le faire, les Amérindiens ont la capacité d'échanger pertinemment avec leurs interlocuteurs. En effet, le discours rapporté dans « Des coches » les voit reprendre point par point les propos des Espagnols pour en montrer l'inanité. Cette qualité d'organisation dans les échanges afin de parler sans s'écarter du sujet est, selon Montaigne, la vertu essentielle du bon interlocuteur [2]. Les Amérindiens partagent également la méfiance de Montaigne envers la médecine, évoquée dans plusieurs chapitres des *Essais*. Quant au manque de déférence des Tupinambas face au roi de France, il peut faire songer à l'indépendance revendiquée de l'essayiste à l'égard du pouvoir politique : « Ma raison n'est pas habituée à se courber et à fléchir, ce sont mes genoux [3]. » Le courage dont font preuve les deux rois dans la tourmente des violences espagnoles et le prisonnier évoqué dans « Des cannibales » est à l'image de la réaction de Montaigne au moment de son enlèvement : sa constance força l'admiration de ses ravisseurs [4]. Le constat des Amérindiens face aux Espagnols – « quant à être des gens paisibles, [...] ils n'en avaient pas l'air » (p. 133) – montre qu'ils

1. *Essais*, III, 5, « Sur des vers de Virgile ».
2. *Essais*, III, 8, « De l'art de conférer ».
3. *Ibid.*
4. L'épisode est raconté dans « De la physionomie » (*Essais*, III, 12).

accordent la même attention à l'apparence physique de ceux qu'ils rencontrent que le fait l'essayiste [1]. L'importance de la danse dans la coutume des Tupinambas fait aussi songer au goût personnel de Montaigne, qui aime « baller ». Enfin, les dons des Amérindiens aux colons rappellent la générosité aristocratique et le devoir de bon accueil envers les étrangers et voyageurs, valeurs féodales dont Montaigne se veut l'héritier et le garant.

Une amitié compromise ?

Les Amérindiens sont l'incarnation d'un idéal éthique et social dans lequel il est aisé de reconnaître les valeurs de Montaigne. La rencontre avec le Nouveau Monde ainsi dépeint serait donc l'occasion pour l'Europe de se confronter à une altérité vertueuse. Malheureusement, l'Ancien Monde n'a pas été digne de cette rencontre, et Montaigne prévoit au contraire la chute précipitée des sociétés amérindiennes. À travers le fantasme d'une rencontre entre les Amérindiens et les hommes de l'Antiquité (par exemple p. 131), l'auteur rêve d'un partage entre civilisations vertueuses, à l'image de l'idéal aristotélicien de l'amitié [2]. La violence et la fourberie ont mis en péril la possibilité d'un enrichissement universel par la rencontre de l'altérité. Car si le mensonge est un « maudit vice [3] » selon Montaigne, c'est parce qu'il met en danger la possibilité de vivre ensemble en bon accord et de « limer notre cervelle à celle d'autrui [4] ». Dans « Des

1. *Essais*, III, 12, « De la physionomie ».
2. Dans son *Éthique à Nicomaque*, le philosophe grec Aristote (voir note 5, p. 53) définit en effet le degré supérieur de l'amitié comme étant fondé sur la vertu.
3. Voir note 1, p. 16.
4. Tirée du chapitre « De l'art de conférer » (III, 8), cette métaphore exprime la finesse que gagne l'esprit en se confrontant aux autres à travers le débat d'idées.

cannibales », Montaigne emploie la métaphore de l'hémiplégie ou paralysie pour évoquer les crimes des conquistadors (p. 125), marques de l'inattention de l'Ancien Monde pour le Nouveau Monde. L'image fait écho à celle des « moitiés » (p. 87) du corps social avancée par les Tupinambas et que l'on trouve chez La Boétie, proche ami de Montaigne. Ce partage de la métaphore renvoie au souhait d'étendre l'amitié de l'échelle interindividuelle à celle d'une société, jusqu'aux liens entre les civilisations de part et d'autre de l'océan Atlantique. La curiosité spontanée pour leurs usages, qui fait dire à Montaigne de leur boisson « [j]'y ai goûté » (p. 65) et de leurs objets qu'ils sont exposés « notamment chez moi » (p. 65), manifeste assez le désir qu'a l'auteur de se faire des cannibales des amis.

En cherchant à apprivoiser les cultures amérindiennes par le recours à ses propres représentations, la démarche de Montaigne révèle l'indépassable étrangeté de ces autres cultures dans leur singularité. L'auteur humaniste voit cependant dans cette altérité le témoignage de la diversité de la nature humaine. Il identifie chez les Amérindiens des constantes anthropologiques universelles, comme la curiosité délétère pour la nouveauté évoquée à la fin de « Des cannibales » (p. 85). Il mentionne aussi la force de l'imagination sur l'esprit humain : lorsqu'il évoque le mythe fondateur des Mexicains selon lequel les hommes ont été changés en singes, Montaigne s'exclame en effet : « quelles opinions n'admet pas la faiblesse de la crédulité humaine ! » (p. 143). Malgré ces points communs, l'auteur constate l'échec de la rencontre entre civilisations ; une irréductible distance semble compromettre l'idéal de l'amitié et de la connaissance de l'autre. Ce constat donne aux chapitres « Des cannibales » et « Des coches » une tonalité amère et pessimiste. Même pour un individu de bonne volonté comme Montaigne, les difficultés de dialogue entre les civilisations demeurent. Parmi celles que l'auteur énumère, on compte la bêtise de l'interprète du chapitre « Des cannibales » (p. 87), preuve que l'obstacle des langues et la défaillance des hommes s'interposent entre ceux qui pourraient être d'intelligence. Surtout, comme le montre le chapitre « Des coches », la violence surgit de la prétention individuelle trop répandue qui conduit à affirmer savoir, à vouloir dominer, conquérir et posséder ; cette présomption est le moteur essentiel de toutes les destructions humaines répertoriées dans les *Essais*, constat que l'auteur humaniste ne peut énoncer qu'en le déplorant.

CHRONOLOGIE

1515 1598

Repères historiques et culturels

Vie et œuvre de l'auteur

Repères historiques et culturels

1515 Début du règne de François Ier ; période marquée par l'épanouissement des arts et des lettres en France.

1517 *31 octobre* : Martin Luther s'insurge contre les indulgences [1] et diffuse ses 95 thèses contre les dogmes catholiques.

1519 Début de la conquête du Mexique par Hernán Cortés.

1519 Fernand de Magellan entame le premier tour du monde.

1521 Martin Luther est excommunié par le pape Léon X. Début de la Réforme protestante.

1527 Sac de Rome par les troupes de Charles Quint, empereur germanique.

1532 Conquête du Pérou par Francisco Pizarro. François Rabelais, *Pantagruel*.

1534 Premier voyage de Jacques Cartier au Canada. *17 octobre* : affaire des Placards [2], répression et début des persécutions contre les protestants en France. François Rabelais, *Gargantua*.

1537 Première traduction en langue française du *Livre du courtisan* de Baldassare Castiglione, manuel de savoir-vivre à la cour qui promeut une civilité humaniste.

1539 Ordonnance de Villers-Cotterêts : le français devient la langue officielle pour les actes d'administration et de justice.

1541 Parution en langue française de l'*Institution de la religion chrétienne* de Jean Calvin, qui expose la doctrine protestante.

---

1. ***Indulgences*** : principe selon lequel un péché peut être annulé au regard de Dieu par une bonne action ; ce principe donna lieu à des abus de la part du clergé et servit d'argument à la contestation protestante.
2. ***Affaire des Placards*** : dans la nuit du 17 octobre 1534, un texte anticatholique est placardé sur plusieurs bâtiments publics à Paris et en province. Devant un tel affront, François Ier refuse désormais toute conciliation avec les protestants.

Vie et œuvre de l'auteur

1533 *28 février* : naissance de Michel Eyquem de Montaigne au château de Montaigne, près de Bordeaux, dans une famille de riches négociants récemment anoblie.

1535 Montaigne est confié à un pédagogue allemand qui lui apprend le latin.

1539 Montaigne entre au collège de Guyenne.

Repères historiques et culturels

1542 Bartolomé de Las Casas, *Brève relation de la description des Indes*.

1543 Nicolas Copernic, *Des révolutions des sphères célestes* (traité sur le système solaire).

1546 François Rabelais, *Le Tiers-Livre*.

1547 Mort de François Ier.
Début du règne d'Henri II.

1549 Joachim Du Bellay, *Défense et illustration de la langue française*.

1550 Pierre de Ronsard, *Odes*.

1552 Francisco López de Gómara, *Histoire générale des Indes*.
François Rabelais, *Le Quart-Livre*.
Pierre de Ronsard, *Les Amours de Cassandre*.

1553 Supplice du médecin Michel Servet à Genève pour hérésie : il avait rejeté le dogme de la Trinité.
Étienne Jodelle, *Cléopâtre captive* (première tragédie humaniste).

1555 Louise Labé, *Élégies et sonnets*.

1557 Voyage de Jean de Léry en France antarctique.
André Thevet, *Singularités de la France antarctique*.

1558 Marguerite de Navarre, *L'Heptaméron*.
Joachim Du Bellay, *Les Regrets* ; *Les Antiquités de Rome*.

1559 Mort d'Henri II.
Début du règne de François II.

1560 Mort de François II.
Début de la régence par Catherine de Médicis.

1562 *1er mars* : massacre des huguenots [1] à Wassy ; début de la première guerre de Religion.
Rencontre entre le futur roi Charles IX et les Indiens Tupinambas à Rouen, au moment où les catholiques reprennent la ville.
Pierre de Ronsard, *Discours sur les misères de ce temps*.

---

1. ***Huguenots*** : protestants.

Vie et œuvre de l'auteur

1546 Montaigne achève ses études au collège de Guyenne.

1549 Études de droit à Bordeaux puis à Toulouse.

1553 Conseiller à la cour des aides de Périgueux.

1557 Conseiller au parlement de Bordeaux.

1558 Montaigne rencontre Étienne de La Boétie ; début de leur amitié.

1559 Visites à la cour en sa qualité de membre du parlement.

1561 Mission sur les troubles religieux de la Guyenne.

1562 Montaigne suit la cour au siège de Rouen, où il découvre les indigènes du Brésil ; cette rencontre est racontée dans « Des cannibales ».

Repères historiques et culturels

1563 Dernière session du concile de Trente ; affirmation de la doctrine catholique de la Contre-Réforme.
Proclamation de la majorité de Charles IX, qui accède au trône.

1564 François Rabelais, *Le Cinquième Livre*.

1565 Construction du château des Tuileries.

1566 Révolte des Provinces-Unies des Pays-Bas contre l'Espagne.

1567 Deuxième guerre de Religion.

1568 Troisième guerre de Religion.

1569 Carte du monde à l'usage des navigateurs dessinée par Gerardus Mercator.

1570 *8 août* : édit de Saint-Germain qui proclame la liberté de culte pour les protestants et met fin à la troisième guerre de Religion.

1571 *7 octobre* : bataille navale de Lépante ; victoire des troupes catholiques sur les Turcs.

1572 *24 août* : massacre de la Saint-Barthélemy ; début de la quatrième guerre de Religion.
Pierre de Ronsard, *La Franciade*.

1574 Mort de Charles IX.
Début du règne d'Henri III.
Début de la cinquième guerre de Religion.

1575 André Thevet, *Cosmographie universelle*.

1576 *6 mai* : « paix de Monsieur » favorable aux protestants, qui met fin à la cinquième guerre de Religion.
Étienne de La Boétie, *Discours de la servitude volontaire*.
Jean Bodin, *Les Six livres de la République* ; le juriste y définit la notion de souveraineté d'État.

Vie et œuvre de l'auteur

1563 Mort d'Étienne de La Boétie, âgé de 33 ans.

1565 Montaigne épouse Françoise de La Chassaigne, avec laquelle il aura six filles.

1568 Mort de son père, Pierre Eyquem. Montaigne hérite du château et se nomme désormais messire Michel, seigneur de Montaigne.
Traduction de la *Theologia naturalis* de Raymond Sebond, qui défend la connaissance de Dieu par la raison.

1569 Lors d'un accident de cheval, Montaigne échappe de peu à la mort.

1570 Il vend sa charge de conseiller au parlement de Bordeaux.

1571 Montaigne se retire dans son château et prépare la publication de travaux littéraires de La Boétie.
Charles IX le décore de l'ordre de Saint-Michel.
Il est nommé négociateur politique pour arbitrer la discussion entre Henri de Navarre et le duc de Guise, chargé de mission auprès du parlement de Bordeaux.

1572 Début de la rédaction des *Essais*.

1573 Montaigne est nommé gentilhomme de la Chambre du roi de France.

1574 Il participe au siège de la place forte protestante de Fontenay-le-Comte.

1576 Il fait frapper une médaille portant la devise : « Que sais-je ? »
Rédaction de l'« Apologie de Raymond Sebond » (chapitre XII du livre II des *Essais*).

Repères historiques et culturels

1577 Formation de la première Ligue catholique.
Début de la sixième guerre de Religion.

1578 Jean de Léry, *Histoire d'un voyage fait en la terre du Brésil.*
Pierre de Ronsard, *Sonnets pour Hélène* (inclus dans une nouvelle édition des *Amours*).

1579 Début de la septième guerre de Religion.

1580 *Mai* : prise de Cahors par Henri de Navarre.

1581 Les Provinces-Unies des Pays-Bas proclament leur indépendance à l'égard de l'Espagne.

1583 Robert Garnier, *Les Juives* ; l'auteur y décrit les épidémies et les guerres comme des fléaux envoyés par Dieu.

1584 Giordano Bruno, *De l'infini de l'univers et des mondes.*

1585 Début de la huitième et dernière guerre de Religion.

1586-1588 Le Greco, *Enterrement du comte d'Orgaz.*

1588 *12 mai* : journée des Barricades ; Henri III quitte Paris, alors aux mains des ligueurs catholiques.
23-24 décembre : assassinat d'Henri de Guise et de son frère Louis de Guise sur ordre du roi.
Défaite de l'Invincible Armada [1] contre l'Angleterre.

1. ***L'Invincible Armada*** : nom donné à la flotte de guerre espagnole.

Vie et œuvre de l'auteur

1577 Montaigne est nommé gentilhomme de la Chambre du roi Henri de Navarre (futur Henri IV).
Rédaction du deuxième livre des *Essais*.

1578 Première attaque de gravelle.

1580 Publication des deux premiers livres des *Essais* à Bordeaux.
Début de ses voyages en cures thermales (France, Suisse, Allemagne du Sud et Italie, jusqu'à Rome).

1581 Montaigne obtient la citoyenneté romaine.
Élu maire de Bordeaux [1], il regagne la France.

1582 Deuxième édition des *Essais* (livres I et II).

1583 Montaigne est réélu à la mairie de Bordeaux.
Visite d'Henri de Navarre au château de Montaigne après la bataille de Coutras. Il sert de négociateur entre Henri de Navarre et Henri III.

1585 Épidémie de peste dans le Bordelais.
La ville de Castillon, qui se trouve à 8 kilomètres du château, est assiégée ; Montaigne quitte la région avec sa famille.
Rédaction du troisième livre des *Essais*.

1587 Troisième édition des *Essais* (livres I et II) à Paris.

1588 Montaigne se rend à Paris pour la publication de la quatrième édition des *Essais*, comprenant le livre III.
Activités politiques dans l'entourage du roi Henri III.
Montaigne assiste aux états généraux de Blois.
Rencontre avec Marie de Gournay (femme de lettres), Christophe de Thou (président du parlement de Paris), Étienne Pasquier (historien) ; correspondance avec Juste Lipse (penseur humaniste).
10 juillet : Montaigne est embastillé par la Ligue catholique qui le soupçonne d'être un émissaire d'Henri de Navarre. Il est libéré le même jour grâce à l'intervention de Catherine de Médicis.

---

1. Son père avait également exercé cette charge.

Repères historiques et culturels

1589 Mort de Catherine de Médicis.
2 août : assassinat d'Henri III par la Ligue catholique ; début du règne d'Henri IV.

1590 Henri IV assiège Paris, où la Ligue catholique fait régner la terreur.

1592 Shakespeare, *Richard III*.

1594 *27 février* : sacre d'Henri IV à Chartres.
22 mars : le roi fait son entrée dans Paris.

1598 *30 avril* : signature de l'édit de Nantes, qui garantit la liberté de conscience et permet l'exercice du culte protestant.

1589 Il travaille aux *Essais* en vue d'une nouvelle édition ; additions manuscrites sur son exemplaire personnel (nommé « exemplaire de Bordeaux »).

1590 Montaigne refuse le défraiement [1] proposé par Henri IV.

1592 *13 septembre* : mort de Montaigne.

1595 Édition posthume des *Essais* à Paris par Marie de Gournay.

1. ***Défraiement*** : indemnisation financière afin de rembourser un service.

© Mary Evans Picture Library / Photononstop

■ Montaigne (1533-1592).

NOTE SUR LA PRÉSENTE ÉDITION : La page de gauche reproduit le texte original des *Essais* édité par Pierre Villey en 1930 ; il s'appuie sur l'exemplaire de Bordeaux. L'orthographe est modernisée.
La page de droite propose une translation en français moderne et une traduction des citations en langue étrangère présentes dans le texte original. Ces citations ainsi que leurs traductions figurent en italique.
Les notes de bas de page sont réparties entre le texte original et la translation : dans le texte original, elles visent à favoriser une lecture autonome du texte ; dans la translation, les notes définissent certains mots de français moderne et apportent les renseignements littéraires et historiques nécessaires à la compréhension du contexte.

Des cannibales,
suivi de
Des coches

ESSAIS
DE
MICHEL SEIGNEVR
DE MONTAIGNE.

Cinquiesme edition, augmentee d'un troisiesme liure et de six cens additions aux deux premiers.

A PARIS,
Chez ABEL L'ANGELIER,
au premier pillier de la grand
Salle du Palais.
Avec Priuilege du Roy.

■ Frontispice de l'édition de 1588 annotée par Montaigne (dit « manuscrit de Bordeaux »).

Des cannibales

Livre I, chapitre XXXI

Des cannibales

Quand le roi Pyrrhus passa en Italie, après qu'il eut reconnu l'ordonnance de l'armée que les Romains lui envoyaient au-devant, je ne sais, dit-il, quels barbares sont ceux-ci (car les Grecs appelaient ainsi toutes les nations étran-
5 gères), mais la disposition de cette armée que je vois n'est aucunement barbare. Autant en dirent les Grecs de celle que Flaminius fit passer en leur pays, et Philippus voyant d'un tertre l'ordre et distribution du camp Romain en son royaume, sous Publius Sulpicius Galba. Voilà comment il se faut garder
10 de s'attacher aux opinions vulgaires et les faut juger par la voie de la raison, non par la voix commune.

J'ai eu longtemps avec moi un homme qui avait demeuré dix ou douze ans en cet autre monde qui a été découvert en notre siècle, en l'endroit où Vilegaignon prit terre, qu'il
15 surnomma la France antarctique. Cette découverte d'un pays

Sur les cannibales

Quand le roi Pyrrhus [1] passa en Italie, après qu'il eut constaté l'organisation de l'armée que les Romains envoyaient contre lui, il déclara : « Je ne sais qui sont ces barbares (car les Grecs appelaient ainsi tous les peuples étrangers), mais la disposition de l'armée que je vois là n'est pas du tout barbare. » Les Grecs en dirent autant de celle que Flaminius [2] fit passer en leur pays, de même que Philippe [3], lorsqu'il vit du haut d'un monticule l'ordre et l'agencement du camp romain installé dans son royaume sous Publius Sulpicius Galba [4]. Voilà comment il faut se garder de s'attacher aux opinions courantes, et juger en suivant la voie de la raison, sans écouter la voix commune.

J'ai eu longtemps auprès de moi un homme ayant vécu dix ou douze ans dans cet autre monde qui a été découvert en notre siècle, à l'endroit où Villegagnon [5] toucha terre, et qu'il nomma la France antarctique [6]. Cette découverte d'un pays immense est

---

1. ***Pyrrhus Ier*** (318-272 av. J.-C.) : roi d'Épire, en Grèce.
2. ***Titus Quinctius Flamininus*** (229-174 av. J.-C.) : général romain qui vainquit les Grecs à la bataille de Cynocéphales, en 197 av. J.-C. ; voir Plutarque, *Vie de Flamininus.*
3. ***Philippe V*** (238-179 av. J.-C.) : roi de Macédoine qui fut vaincu par Flamininus.
4. ***Publius Sulpicius Galba*** (IIIe-IIe siècle av. J.-C.) : général et consul romain qui initia la première guerre de Macédoine contre Philippe V ; le conflit se prolongea avec la deuxième guerre de Macédoine et s'acheva par la victoire de Flamininus en 197 av. J.-C.
5. ***Nicolas Durand de Villegagnon*** (1510-1571) : militaire et explorateur français.
6. ***La France antarctique*** : colonie française établie au Brésil, pays des soi-disant cannibales découverts par l'expédition de Villegagnon

infini semble être de considération. Je ne sais si je me puis répondre qu'il ne s'en fasse à l'avenir quelqu'autre, tant de personnages plus grands que nous ayant été trompés en cette-ci [1]. J'ai peur que nous avons les yeux plus grands que le
20 ventre, et plus de curiosité que nous n'avons de capacité : nous embrassons tout, mais nous n'étreignons que du vent. Platon introduit Solon racontant avoir appris des prêtres de la ville de Saïs, en Égypte, que jadis et avant le déluge, il y avait une grande île nommée Atlantide, droit à la bouche du détroit
25 de Gibraltar, qui tenait plus de pays que l'Afrique et l'Asie toutes deux ensemble : et que les rois de cette contrée-là, qui ne possédaient pas seulement cette île, mais s'étaient étendus dans la terre ferme si avant qu'ils tenaient de la largeur d'Afrique jusqu'en Égypte, et de la longueur de l'Europe
30 jusqu'en la Toscane, entreprirent d'enjamber jusque sur l'Asie, et subjuguer toutes les nations qui bordent la mer Méditerranée jusqu'au golfe de la mer Majour ; et, pour cet effet, traversèrent les Espagnes, la Gaule, l'Italie, jusqu'en la Grèce, où les Athéniens les soutinrent [2] ; mais que quelques temps après,
35 et les Athéniens et eux et leur île furent engloutis par le déluge. Il est bien vraisemblable que cet extrême ravage d'eaux ait fait des changements étranges aux habitations de la terre : comme on tient que la mer a retranché la Sicile d'avec l'Italie ;

---

1. ***Cette-ci*** : celle-ci
2. ***Les soutinrent*** : leur résistèrent.

apparemment un événement considérable. Je ne sais si je puis garantir qu'il ne s'en produira pas d'autre à l'avenir, car beaucoup de personnages plus importants que nous se sont trompés à propos de celle-ci. J'ai peur que nous ayons les yeux plus 20 grands que le ventre, et plus de curiosité que nous n'avons de capacités. Nous embrassons tout, mais nous n'étreignons que du vent. Platon fait dire à Solon [1] qu'il aurait appris des prêtres de la ville de Saïs en Égypte que, autrefois et avant le Déluge, il y avait une grande île, nommée Atlantide, en face du détroit de 25 Gibraltar, qui contenait plus de territoires que l'Afrique et l'Asie réunies, et que les rois de cette contrée (qui ne possédaient pas seulement cette île mais s'étaient avancés si loin sur la terre ferme qu'ils occupaient toute la largeur de l'Afrique jusqu'en Égypte et toute la longueur de l'Europe jusqu'en Toscane), entreprirent 30 d'enjamber jusqu'en Asie afin de conquérir tous les peuples qui bordent la mer Méditerranée jusqu'au golfe de la mer Noire ; et que pour faire cela, ils traversèrent l'Espagne, la Gaule, l'Italie, jusqu'en Grèce, où les Athéniens leur résistèrent, mais que, quelque temps après, à la fois les Athéniens, eux-mêmes [2] et leur 35 île furent engloutis par le Déluge. Il est assez vraisemblable que ce ravage extraordinaire commis par les eaux ait produit des changements étonnants dans les régions habitées de la terre : on pense par exemple que la mer a séparé la Sicile d'avec l'Italie,

---

en 1555. Compagnon de Villegagnon, Jean de Léry fit un récit célèbre de cette expédition, *Histoire d'un voyage fait en la terre du Brésil* (publié en 1578), dont Montaigne semble s'inspirer de près ; mais, à en croire ce qu'il affirme p. 47 et dans la suite du texte (voir p. 55 et suivantes), l'auteur s'appuie sur les témoignages oraux de membres de cette expédition.

1. ***Solon*** (v. 640-v. 560 av. J.-C.) : l'un des Sept Sages de la Grèce antique. Montaigne fait ici référence au *Critias* et au *Timée*, deux dialogues de Platon (v. 428-v. 348 av. J.-C.) qui rapportent le récit de Solon.

2. ***Eux-mêmes*** : les habitants de l'Atlantide.

Hæc loca vi quondam, et vasta convulsa ruina
40 *Dissiluisse ferunt, cum protinus utraque tellus*
Una foret,

Chypre d'avec la Syrie, l'île de Negrepont de la terre ferme de la Bœoce ; et joint ailleurs les terres qui étaient divisées, comblant de limon et de sable les fossés d'entre-deux,

45 *[...] sterilisque diu palus aptaque remis*
Vicinas urbe alit, et grave sentit aratrum.

Mais il n'y a pas grande apparence [1] que cette île soit ce monde nouveau que nous venons de découvrir : car elle touchait quasi l'Espagne, et ce serait un effet incroyable d'inonda-
50 tion de l'en avoir reculée comme elle est de plus de douze cents lieues : outre ce que les navigations des modernes ont déjà presque découvert, que ce n'est point une île, ains [2] terre ferme et continente [3] avec l'Inde orientale d'un côté, et avec les terres qui sont sous les deux pôles d'autre part ; ou, si elle
55 en est séparée, que c'est d'un si petit détroit et intervalle qu'elle ne mérite pas d'être nommée île pour cela. Il semble qu'il y ait des mouvements, naturels les uns, les autres fiévreux, en ces grands corps comme aux nôtres. Quand je considère l'impression [4] que ma rivière de Dordogne fait de mon temps

1. ***Apparence*** : vraisemblance, probabilité.
2. ***Ains*** : mais.
3. ***Continente*** : continue.
4. ***Impression*** : pression, effet de la pression.

Ces lieux arrachés jadis à leur base par un violent et vaste écroulement,
40 *Se séparèrent, dit-on, alors qu'auparavant,*
L'une et l'autre terre n'en faisaient qu'une [1] *;*

Chypre d'avec la Syrie, l'île d'Eubée d'avec la terre ferme de la Béotie [2], et ailleurs, dit-on, la mer a réuni les terres qui étaient séparées, comblant de limon et de sable les fosses qui se trou-
45 vaient entre elles,

[…] et un marais longtemps stérile et battu des rames
Nourrit les villes voisines, et sent le poids de la lourde charrue [3].

Mais il ne semble pas que cette île [4] soit ce Nouveau Monde que nous venons de découvrir ; car elle touchait presque
50 l'Espagne, et ce serait l'effet incroyable d'une inondation que de l'avoir fait reculer ainsi de plus de mille deux cents lieues [5] ; d'autant que les voyages des navigateurs contemporains ont déjà presque démontré que ce Nouveau Monde n'est pas une île mais un continent qui touche d'un côté à l'Inde orientale, et d'autre
55 part aux terres qui sont sous les deux pôles ; ou que, s'il est séparé de ces terres, c'est par un détroit [6] et un intervalle si petits qu'il ne mérite pas d'être nommé « île » pour cela.

Il semble qu'il y ait des mouvements, les uns naturels, les autres fiévreux, dans ces grands corps comme dans les nôtres.
60 Quand je considère l'empreinte que ma rivière de Dordogne

---

1. Virgile, *Énéide*, III, v. 414-417.
2. ***Île d'Eubée*, *Béotie*** : régions de Grèce.
3. Horace, *Art poétique*, v. 65-66.
4. ***Cette île*** : l'Atlantide.
5. ***Mille deux cents lieues*** : environ cinq mille huit cents kilomètres (la lieue est une ancienne mesure de distance qui représente approximativement quatre kilomètres et demi).
6. ***Détroit*** : probablement celui de Béring, qui sépare la Sibérie de l'Alaska.

60 vers la rive droite de sa descente, et qu'en vingt ans elle a tant gagné et dérobé le fondement à plusieurs bâtiments, je vois bien que c'est une agitation extraordinaire ; car, si elle fût toujours allée ce train, ou dût aller à l'avenir, la figure du monde serait renversée ; mais il leur prend des changements : tantôt
65 elles s'épandent d'un côté, tantôt d'un autre, tantôt elles se contiennent. Je ne parle pas des soudaines inondations de quoi nous manions [1] les causes. En Médoc, le long de la mer, mon frère sieur d'Arsac voit une sienne [2] terre ensevelie sous les sables, que la mer vomit devant elle : le faîte d'aucuns [3]
70 bâtiments paraît encore : ses rentes et domaines se sont échangés [4] en paquages bien maigres. Les habitants disent que depuis quelque temps, la mer se pousse si fort vers eux qu'ils ont perdu quatre lieues de terre. Ces sables sont ses fourriers [5], et voyons des grandes montjoies d'arène [6] mouvante, qui
75 marchent d'une demi lieue devant elle et gagnent pays.

L'autre témoignage de l'antiquité, auquel on veut rapporter cette découverte, est dans Aristote, au moins [7] si ce petit livret des merveilles inouïes [8] est à lui. Il raconte là que certains Carthaginois s'étant jetés au travers de la mer Atlantique, hors

1. ***Nous manions*** : nous comprenons.
2. ***Sienne*** : lui appartenant, à lui.
3. ***D'aucuns*** : de quelques.
4. ***Échangés*** : transformés.
5. ***Ses fourriers*** : son avant-garde.
6. ***Montjoies d'arène*** : monceaux de sable.
7. ***Au moins*** : du moins.
8. ***Inouïes*** : jamais entendues.

laisse, de mon vivant, sur la rive droite de son courant, et qu'en vingt ans elle a gagné tant de terrain et sapé les fondations de plusieurs édifices, je vois bien que c'est là un mouvement qui n'est pas ordinaire ; car si elle était toujours allée à ce train, ou
65 si elle devait se comporter ainsi à l'avenir, la forme du monde en serait bouleversée. Mais les rivières subissent des changements : tantôt elles se répandent d'un côté, tantôt d'un autre ; tantôt elles se contiennent dans leur lit. Je ne parle pas des inondations soudaines, dont nous comprenons les causes. En Médoc, le long de
70 la mer, mon frère le seigneur d'Arsac voit une de ses terres ensevelie sous les sables que la mer vomit devant elle ; le sommet de certains bâtiments est encore visible ; ses fermes [1] et ses domaines se sont changés en pacages [2] bien maigres. Les habitants disent que, depuis quelque temps, la mer se pousse si fort
75 vers eux qu'ils ont perdu quatre lieues [3] de terre. Ces sables sont son avant-garde ; et nous voyons de grandes dunes de sable en mouvement qui marchent à une demi-lieue [4] devant elle, et gagnent sur le pays.

L'autre témoignage de l'Antiquité avec lequel on veut mettre
80 en rapport cette découverte se trouve chez Aristote [5], si du moins ce petit livre intitulé *Des merveilles inouïes* est de lui. Il raconte là que certains Carthaginois [6], s'étant lancés à travers l'océan

1. ***Fermes*** : propriétés louées, littéralement données à loyer « ferme », c'est-à-dire régulier.
2. ***Pacages*** : droits prélevés à l'occasion de la pâture des bestiaux dans certains prés.
3. ***Quatre lieues*** : environ dix-huit kilomètres.
4. ***Une demi-lieue*** : un peu plus de deux kilomètres.
5. ***Aristote*** (384-322 av. J.-C.) : philosophe grec, fondateur de l'école de pensée du Lycée ; après avoir raconté la légende de l'Atlantide qu'il emprunte à Platon (voir p. 49), Montaigne s'apprête à rapporter une nouvelle tradition antique.
6. ***Carthaginois*** : habitants de Carthage, capitale de l'Empire punique située dans l'actuelle Tunisie ; ils défièrent la puissance de Rome entre le Vᵉ et le IIᵉ siècle av. J.-C.

le détroit de Gibraltar, et navigué longtemps, avaient découvert enfin une grande île fertile, toute revêtue de bois, et arrosée de grandes et profondes rivières, fort éloignée de toutes terres fermes ; et qu'eux et autres depuis, attirés par la bonté et fertilité du terroir, s'y en allèrent avec leurs femmes et enfants et commencèrent à s'y habituer [1]. Les seigneurs de Carthage, voyant que leur pays se dépeuplait peu à peu, firent défense expresse, sur peine de mort, que nul n'eût plus à aller là, et en chassèrent ces nouveaux habitants, craignant, à ce que l'on dit, que par succession de temps ils ne vinssent à multiplier tellement qu'ils les supplantassent eux-mêmes et ruinassent leur État. Cette narration d'Aristote n'a non plus d'accord avec nos terres neuves.

Cet homme que j'avais était homme simple et grossier, qui est une condition propre à rendre véritable témoignage : car les fines gens remarquent bien plus curieusement [2] et plus de choses, mais ils les glosent ; et pour faire valoir leur interprétation et la persuader, ils ne se peuvent garder d'altérer un peu l'Histoire ; ils ne vous représentent [3] jamais les choses pures, ils les inclinent et masquent selon le visage qu'ils leur ont vu ; et pour donner crédit à leur jugement et vous y attirer, prêtent volontiers de ce côté-là à la matière, l'allongent et l'amplifient. Ou il faut un homme très fidèle ou si simple qu'il n'ait pas de quoi bâtir et donner de la vraisemblance à des inventions fausses, et qui n'ait rien épousé [4]. Le mien était tel ; et, outre cela, il m'a fait voir à diverses fois plusieurs matelots et marchands qu'il avait connus en ce voyage. Ainsi je me contente de cette information sans m'enquérir de ce que les cosmographes en disent.

---

1. ***S'y habituer*** : s'y installer, y élire domicile.
2. ***Curieusement*** : attentivement.
3. ***Ils ne vous représentent*** : ils ne vous exposent, ils ne vous expriment.
4. ***Qui n'ait rien épousé*** : qui n'ait épousé aucun préjugé.

Atlantique au-delà du détroit de Gibraltar, et ayant longtemps navigué, avaient fini par découvrir une grande île fertile entièrement boisée et arrosée de grandes et profondes rivières, très éloignée de toute terre ferme ; et qu'eux-mêmes, et d'autres ensuite, attirés par la qualité et la fertilité des terres, y allèrent avec leurs femmes et leurs enfants, et commencèrent à s'y installer. Les seigneurs de Carthage, voyant que leur pays se dépeuplait peu à peu, défendirent expressément à quiconque, sous peine de mort, d'aller là-bas, et ils en chassèrent les nouveaux habitants, craignant, à ce que l'on dit, que, avec le temps, ils en viennent à se multiplier au point de les supplanter eux-mêmes et de ruiner leur État. Ce récit d'Aristote ne s'accorde pas non plus avec ce que l'on sait de nos terres nouvelles.

Cet homme que j'avais auprès de moi était un homme simple et fruste, ce qui est une condition propre à garantir un témoignage véridique ; car les gens qui ont l'esprit subtil observent bien plus attentivement et remarquent plus de choses, mais ils les commentent ; et pour faire valoir leur interprétation et en persuader les autres, ils ne peuvent s'empêcher d'altérer un peu l'Histoire ; ils ne vous exposent jamais purement les choses, ils les orientent et les masquent selon le visage qu'ils leur ont vu ; et pour donner du crédit à leur jugement et vous y rallier, ils développent en général le sujet dans cette direction, l'allongent et l'amplifient. Il faut un homme soit très loyal, soit si simple qu'il n'ait pas de quoi échafauder et rendre vraisemblables des inventions fallacieuses [1], et qui n'ait épousé aucun préjugé. C'était le cas du mien ; et de plus, il m'a plusieurs fois présenté des matelots et des marchands qu'il avait connus pendant ce voyage. C'est pourquoi je me contente de cette information, sans m'occuper de ce que les géographes disent sur la question.

1. ***Fallacieuses*** : trompeuses.

Il nous faudrait des topographes qui nous fissent narration particulière des endroits où ils ont été. Mais, pour avoir [1] cet avantage sur nous d'avoir vu la Palestine, ils veulent jouir de ce privilège de nous conter nouvelles de tout le demeurant [2] du monde. Je voudrais que chacun écrivît ce qu'il sait, et autant qu'il en sait, non en cela seulement, mais en tous autres sujets : car tel peut avoir quelque particulière science ou expérience de la nature d'une rivière ou d'une fontaine, qui ne sait au reste [3] que ce que chacun sait. Il entreprendra toutefois, pour faire courir ce petit lopin [4], d'écrire toute la physique. De ce vice sourdent plusieurs grandes incommodités [5].

Or je trouve, pour revenir à mon propos, qu'il n'y a rien de barbare et de sauvage en cette nation, à ce qu'on m'en a rapporté, sinon que chacun appelle barbarie ce qui n'est pas de son usage. Comme de vrai, il semble que nous n'avons autre mire [6] de la vérité et de la raison que l'exemple et idée des opinions et usances [7] du pays où nous sommes. Là est toujours la parfaite religion, la parfaite police [8], parfait et accompli usage de toutes choses. Ils sont sauvages, de même que nous appelons sauvages les fruits que nature, de soi et de son progrès [9] ordinaire, a produits : là où, à la vérité, ce sont ceux que nous avons altérés par notre artifice [10], et détournés de l'ordre commun, que nous devrions appeler plutôt sauvages. En ceux-là sont vives et vigoureuses les vraies et plus

---

1. ***Pour avoir*** : parce qu'ils ont.
2. ***Le demeurant*** : le reste.
3. ***Au reste*** : sur le reste.
4. ***Lopin*** : petit morceau, petite partie.
5. ***Grandes incommodités*** : graves inconvénients.
6. ***Mire*** : point de comparaison, critérium.
7. ***Usances*** : usages
8. ***Police*** : règlement, discipline ; gouvernement, État.
9. ***Son progrès*** : sa progression.
10. ***Notre artifice*** : notre art.

Il nous faudrait des topographes [1] qui nous fassent une description spécifique des lieux où ils sont allés. Mais parce qu'ils
115 ont cet avantage sur nous d'avoir vu la Palestine [2], ils en profitent pour nous donner des nouvelles de tout le reste du monde. Je voudrais que chacun écrive ce qu'il sait, et pas plus qu'il n'en sait, pas seulement sur ce sujet, mais sur tous les autres : car on peut avoir quelque connaissance ou expérience spécifiques de la
120 nature d'une rivière ou d'une source, et ne savoir sur le reste rien de plus que ce que chacun sait. On entreprendra toutefois, pour faire valoir ce petit bout de connaissance, d'écrire toute la physique. De ce vice découlent plusieurs graves inconvénients.

Or je trouve, pour revenir à mon propos [3], qu'il n'y a rien de
125 barbare ni de sauvage dans ce peuple, d'après ce que l'on m'en a dit, sinon que chacun appelle barbarie ce qui n'est pas dans ses coutumes ; et en vérité, il semble que nous n'avons d'autre critère de la vérité et de la raison que l'exemple et l'idée générale qui nous viennent des opinions et des usages du pays où nous
130 sommes. Là se trouve toujours la parfaite religion, le parfait gouvernement, la façon la plus parfaite et la plus complète de tout faire. Ces hommes sont sauvages de même que nous appelons sauvages les fruits que la nature a produits d'elle-même et par sa marche ordinaire : tandis que, en vérité, ce sont plutôt ceux que
135 nous avons dégradés par notre artifice et détournés de l'ordre normal que nous devrions appeler sauvages. Dans les premiers

---

1. ***Topographes*** : géographes.

2. ***Palestine*** : autre nom de la Terre promise, territoire comprenant aujourd'hui Israël et la Palestine.

3. ***À mon propos*** : au sujet des peuples cannibales du Nouveau Monde, qui m'occupent.

utiles et naturelles vertus et propriétés, lesquelles nous avons abâtardies en ceux-ci, et les avons seulement accommodées
135 au plaisir de notre goût corrompu. Et si pourtant [1], la saveur même et délicatesse se trouvent à notre goût excellente, à l'envi des nôtres [2], en divers fruits de ces contrées-là sans culture. Ce n'est pas raison que l'art [3] gagne le point d'honneur sur notre grande et puissante mère nature. Nous avons
140 tant rechargé la beauté et richesse de ses ouvrages par nos inventions que nous l'avons du tout [4] étouffée. Si est-ce que [5], partout où sa pureté reluit, elle fait une merveilleuse [6] honte à nos vaines et frivoles entreprises,

Et veniunt ederæ sponte sua melius,
145 *Surgit et in solis formosior arbutus antris,*
Et volucres nulla dulcius arte canunt.

Tous nos efforts ne peuvent seulement arriver à représenter le nid du moindre oiselet, sa contexture, sa beauté et l'utilité de son usage : non pas [7] la tissure de la chétive araignée.
150 Toutes choses, dit Platon, sont produites par la nature, ou par la fortune [8], ou par l'art ; les plus grandes et plus belles, par l'une ou l'autre des deux premières ; les moindres et imparfaites, par la dernière. Ces nations me semblent donc ainsi barbares pour avoir reçu fort peu de façon [9] de l'esprit

---

1. ***Si pourtant*** : cependant.
2. ***À l'envi des nôtres*** : en comparaison des nôtres, à l'égal des nôtres.
3. ***Art*** : artifice, technique.
4. ***Du tout*** : complètement.
5. ***Si est-ce que*** : toujours est-il que.
6. ***Merveilleuse*** : étonnante.
7. ***Non pas*** : pas même.
8. ***La fortune*** : le hasard.
9. ***Façon*** : manière, usage.

demeurent vivantes et vigoureuses les vertus et les propriétés véritables, les plus utiles et les plus naturelles, que nous avons abâtardies dans les seconds, et seulement accommodées au plaisir
140 de notre goût corrompu. Et pourtant, même notre goût trouve excellentes, en comparaison de nos propres fruits, la saveur et la finesse de certains de ceux qui poussent dans ces pays-là, sans culture. Il ne serait pas normal que l'art emporte le prix d'honneur sur notre grande et puissante mère Nature. Nous avons tel-
145 lement surchargé la beauté et la richesse de ses ouvrages par nos inventions que nous l'avons complètement étouffée. Toujours est-il que, partout où sa pureté resplendit, elle fait extraordinairement honte à nos vaines et frivoles entreprises,

Et le lierre pousse mieux de lui-même, l'arbousier
150 *Lui aussi croît plus beau dans les antres isolés,*
Et les oiseaux, sans art, ont un chant plus gracieux [1].

Tous nos efforts ne peuvent même pas arriver à reproduire le nid du moindre oiselet, sa structure, sa beauté et l'utilité de ses services, sans parler de la toile de la chétive araignée. Toutes
155 choses, dit Platon [2], sont produites par la nature, par le hasard, ou par l'art ; les plus grandes et les plus belles, par l'une ou l'autre des deux premières causes ; les plus petites et les moins parfaites, par la dernière. Ces peuples me semblent donc barbares uniquement dans la mesure où ils ont été fort peu façonnés

1. Properce, *Élégies*, I, II, v. 10-11 et v. 14.
2. ***Dit Platon*** : dans *Les Lois*, X, 888e.

155 humain, et être encore fort voisines de leur naïveté [1] originelle. Les lois naturelles leur commandent encore, fort peu abâtardies par les nôtres ; mais c'est en telle pureté qu'il me prend quelques fois déplaisir de quoi la connaissance n'en soit venue plutôt, du temps qu'il y avait des hommes qui en 160 eussent su mieux juger que nous. Il me déplaît que Licurgus et Platon ne l'aient eue, car il me semble que ce que nous voyons par expérience en ces nations-là surpasse non seulement toutes les peintures de quoi la poésie a embelli l'âge doré, et toutes ses inventions à feindre [2] une heureuse condi-165 tion d'hommes, mais encore la conception et le désir même de la philosophie. Ils n'ont pu imaginer une naïveté si pure et simple, comme nous la voyons par expérience, ni n'ont pu croire que notre société se peut maintenir avec si peu d'artifice et de soudure [3] humaine. C'est une nation, dirai-je à Platon, 170 en laquelle il n'y a aucune espèce de trafic, nulle connaissance de lettres, nulle science de nombres, nul nom de magistrat, ni de supériorité politique ; nul usage de service [4], de richesse ou de pauvreté ; nuls contrats, nulles successions, nuls partages ; nulles occupations qu'oisives, nul respect de 175 parenté que commun ; nuls vêtements, nulle agriculture, nul métal, nul usage de vin ou de blé. Les paroles mêmes, qui signifient le mensonge, la trahison, la dissimulation, l'avarice, l'envie, la détraction [5], le pardon, inouïes. Combien trouverait-il la république qu'il a imaginée éloignée de cette 180 perfection : *viri a diis recentes.*

1. ***Leur naïveté*** : leur état naturel.
2. ***Feindre*** : imaginer, inventer.
3. ***Soudure*** : relation, union.
4. ***Service*** : servage, domesticité.
5. ***Détraction*** : médisance.

160 par l'esprit humain, et sont encore très proches de leur simplicité originelle. Les lois naturelles, fort peu abâtardies par les nôtres, leur commandent encore ; mais elles font cela dans une telle pureté que je regrette parfois que nous n'ayons pas pris connaissance de ces peuples plus tôt, en un temps où il y avait des 165 hommes qui auraient su en juger mieux que nous. Je regrette que Lycurgue [1] et Platon ne les aient pas connus ; car il me semble que ce que nous voyons par expérience chez ces peuples non seulement surpasse toutes les peintures par lesquelles les poètes ont embelli l'âge d'or, et tout ce qu'ils inventent pour imaginer 170 une heureuse condition humaine, mais que cela surpasse encore les conceptions idéales et le désir même des philosophes. Ils n'ont pas pu imaginer un état naturel aussi pur et aussi simple que l'expérience nous le montre ; et ils n'ont pas pu croire que notre société puisse se maintenir avec si peu d'artifices et de liens 175 sociaux. « C'est un peuple, dirais-je à Platon, où il n'y a aucune forme de commerce ; pas de connaissance des lettres ; pas de science des nombres ; pas de nom de magistrat, ni de pouvoir politique ; pas d'emplois serviles, ni de richesse, ni de pauvreté ; pas de contrats ; pas de successions ; pas de partages ; pas 180 d'occupations désagréables ; pas d'autre respect pour les parents que celui que tous les hommes se portent entre eux ; pas de vêtements ; pas d'agriculture ; pas de métal ; pas de connaissance du vin ou du blé. Les mots mêmes qui signifient mensonge, trahison, dissimulation, cupidité, envie, médisance, pardon, sont 185 inconnus. Combien trouverait-il la république qu'il a imaginée [2] éloignée de cette perfection : « des hommes qui sortent tout fraîchement de la main des dieux [3] ».

---

1. ***Lycurgue*** (v. 800-730 av. J.-C.) : législateur mythique qui élabora la Constitution de Sparte.
2. ***La république qu'il a imaginée*** : dans *La République*, Platon tente de définir le modèle d'un État idéal.
3. Sénèque, *Lettres à Lucilius*, XIV, 90.

Hos natura modos primum dedit.

Au demeurant, ils vivent en une contrée de pays très plaisante et bien tempérée, de façon qu'à ce que m'ont dit mes témoins, il est rare d'y voir un homme malade, et m'ont assuré
185 n'en y avoir vu aucun tremblant, chassieux, édenté, ou courbé de vieillesse. Ils sont assis [1] le long de la mer et fermés du côté de la terre de grandes et hautes montagnes ayant, entre deux, cent lieues ou environ d'étendue en large. Ils ont grande abondance de poisson et de chairs [2], qui n'ont aucune ressem-
190 blance aux nôtres, et les mangent sans autre artifice que de les cuire. Le premier qui y mena un cheval, quoiqu'il les eût pratiqués [3] à plusieurs autres voyages, leur fit tant d'horreur en cette assiette [4] qu'ils le tuèrent à coups de trait avant que le pouvoir reconnaître. Leurs bâtiments sont fort longs, et
195 capables de deux ou trois cents âmes, étoffés d'écorce de grands arbres, tenant à terre par un bout, et se soutenant et appuyant l'un contre l'autre par le faîte, à la mode d'aucunes de nos granges, desquelles la couverture pend jusqu'à terre, et sert de flanc. Ils ont du bois si dur qu'ils en coupent et en
200 font leurs épées, et des grils à cuire leur viande [5]. Leurs lits sont d'un tissu de coton, suspendus contre le toit comme ceux de nos navires, à chacun le sien : car les femmes couchent à part des maris. Ils se lèvent avec le Soleil, et mangent soudain après s'être levés pour toute la journée, car ils ne font autre
205 repas que celui-là. Ils ne boivent pas lors [6], comme Suidas

1. ***Ils sont assis*** : ils sont situés, ils sont établis.
2. ***Chairs*** : viandes.
3. ***Pratiqués*** : rencontrés.
4. ***Assiette*** : position.
5. ***Viande*** : nourriture.
6. ***Lors*** : alors.

Telles sont les premières lois que donna la nature [1].

Au demeurant, ils vivent dans un pays très agréable et bien
190 tempéré ; de sorte que, au dire de mes témoins, il est rare d'y voir un homme malade ; et ils m'ont assuré que, là-bas, ils n'en avaient pas vu un seul qui fût tremblant, chassieux [2], édenté ou courbé de vieillesse. Ils sont établis le long de la mer, et protégés du côté de la terre par de grandes et hautes montagnes, avec,
195 entre les deux, un espace large d'environ cent lieues [3]. Ils ont une grande abondance de poisson et de viande, qui ne ressemblent pas du tout aux nôtres, et ils les mangent sans autre préparation que de les cuire. Le premier qui y conduisit un cheval, quoiqu'il les eût déjà rencontrés au cours de plusieurs
200 autres voyages, leur fit tellement horreur dans cette posture [4] qu'ils le tuèrent à coup de flèches avant de pouvoir le reconnaître. Leurs bâtiments sont très longs, recouverts d'écorces de grands arbres et peuvent abriter deux ou trois cents personnes ; un de leurs côtés est posé sur le sol et ils se soutiennent et s'appuient
205 l'un contre l'autre par le faîte, comme certaines de nos granges dont la toiture descend jusqu'au sol et sert de mur latéral. Ils ont un bois si dur qu'ils s'en servent pour couper et fabriquer leurs épées et des grils pour cuire la nourriture. Leurs lits sont faits avec un tissu de coton, ils sont suspendus au toit, comme ceux
210 de nos navires ; chacun a le sien, car les femmes ne dorment pas avec les maris. Ils se lèvent avec le soleil et mangent aussitôt après s'être levés, une seule fois pour toute la journée ; car ils ne font pas d'autre repas que celui-là. Ils ne boivent pas à ce moment-là, comme Suidas [5] le dit à propos de certains autres

---

1. Virgile, *Géorgiques*, II, v. 20.
2. ***Chassieux*** : malade de la chassie, une infection des yeux.
3. ***Cent lieues*** : environ quatre cent cinquante kilomètres.
4. ***Dans cette posture*** : monté à cheval.
5. ***Suidas*** (Xe siècle) : savant grec, auteur d'un dictionnaire encyclopédique.

dit de quelques autres peuples d'Orient, qui buvaient hors du manger : ils boivent à plusieurs fois sur jour, et d'autant [1]. Leur breuvage est fait de quelque racine, et est de la couleur de nos vins clairets. Ils ne le boivent que tiède ; ce breuvage ne se 210 conserve que deux ou trois jours ; il a le goût un peu piquant, nullement fumeux, salutaire à l'estomac, et laxatif à ceux qui ne l'ont accoutumé ; c'est une boisson très-agréable à qui y est duit [2]. Au lieu du pain, ils usent d'une certaine matière blanche, comme du coriandre confit. J'en ai testé, le goût en 215 est doux [3] et un peu fade. Toute la journée se passe à danser. Les plus jeunes vont à la chasse des bêtes à tout [4] des arcs. Une partie des femmes s'amuse [5] cependant [6] à chauffer leur breuvage, qui est leur principal office. Il y a quelqu'un des vieillards qui, le matin, avant qu'ils se mettent à manger, 220 prêche en commun toute la grangée, en se promenant d'un bout à l'autre, et redisant une même clause [7] à plusieurs fois, jusqu'à ce qu'il ait achevé le tour (car ce sont bâtiments qui ont bien cent pas de longueur). Il ne leur recommande que deux choses : la vaillance contre les ennemis et l'amitié à leurs 225 femmes. Et ne faillent [8] jamais de remarquer [9] cette obligation, pour leur refrain, que ce sont elles qui leur maintiennent leur boisson tiède et assaisonnée. Il se voit en plusieurs lieux, et entre autres chez moi, la forme de leurs lits, de leurs cordons, de leurs épées et bracelets de bois, de quoi ils couvrent leurs 230 poignets aux combats, et des grandes cannes ouvertes par un

1. ***D'autant*** : beaucoup, le plus.
2. ***Duit*** : habitué.
3. ***Doux*** : sucré.
4. ***À tout*** : avec.
5. ***S'amuse*** : s'occupe.
6. ***Cependant*** : pendant ce temps.
7. ***Clause*** : phrase.
8. ***Ne faillent*** : ne manquent.
9. ***Remarquer*** : signaler, distinguer.

215 peuples d'Orient, qui buvaient en dehors des repas ; ils boivent plusieurs fois par jour, et abondamment. Leur breuvage est fait avec une certaine racine, et il a la couleur de nos vins clairets [1]. Ils ne le boivent que tiède ; ce breuvage ne se conserve que deux ou trois jours ; il a un goût un peu piquant, ne monte pas à la 220 tête, est bon pour l'estomac et a un effet laxatif chez ceux qui n'en ont pas l'habitude ; c'est une boisson délicieuse quand on y est accoutumé. En guise de pain, ils utilisent une espèce de matière blanche, comme de la coriandre confite. J'y ai goûté : c'est sucré et un peu fade. Toute la journée se passe à danser. Les 225 plus jeunes vont chasser à l'arc les bêtes sauvages. Pendant ce temps, une partie des femmes s'occupe à faire chauffer leur breuvage, et c'est là leur tâche principale. Il y a un des vieillards qui, le matin, avant qu'ils se mettent à manger, prêche à toute la grangée en même temps, en se promenant d'un bout à l'autre et en 230 répétant une même phrase plusieurs fois, jusqu'à ce qu'il ait fait tout le tour (car ce sont des bâtiments qui ont au moins cent pas [2] de long). Il ne leur recommande que deux choses : la vaillance contre les ennemis et l'amour pour leurs femmes. Et ils ne manquent jamais de faire remarquer cette dernière obligation, 235 répétant comme un refrain que ce sont elles qui maintiennent leur boisson tiède et aromatisée. On peut voir en plusieurs lieux, et notamment chez moi, comment sont faits leurs lits, leurs cordons, leurs épées, les bracelets en bois dont ils se protègent les poignets dans les combats et de grandes cannes de roseau,

1. *Clairets* : légers et peu colorés.
2. *Cent pas* : environ soixante-quinze mètres (le pas est une mesure de longueur qui correspond à l'écartement des jambes).

bout, par le son desquelles ils soutiennent la cadence en leur danser [1]. Ils sont ras partout, et se font le poil beaucoup plus nettement que nous, sans autre rasoir que de bois ou de pierre. Ils croient les âmes éternelles, et celles qui ont bien mérité des
235 dieux être logées à l'endroit du ciel où le Soleil se lève ; les maudites, du côté de l'Occident.

Ils ont je ne sais quels prêtres et prophètes qui se présentent bien rarement au peuple, ayant leur demeure aux montagnes. À leur arrivée, il se fait une grande fête et assemblée solennelle
240 de plusieurs villages (chaque grange, comme je l'ai décrite, fait un village, et est environ à une lieue française l'une de l'autre). Ce prophète parle à eux en public, les exhortant à la vertu et à leur devoir ; mais toute leur science éthique ne contient que ces deux articles, de la résolution [2] à la guerre,
245 et affection à leurs femmes. Cettui-ci leur prognostique les choses à venir et les événements [3] qu'ils doivent espérer de leurs entreprises, les achemine ou détourne de la guerre ; mais c'est par tel si [4] que, où il faut [5] à bien deviner, et s'il leur advient autrement qu'il ne leur a prédit, il est haché en mille
250 pièces, s'ils l'attrapent, et condamné pour faux prophète. À cette cause [6], celui qui s'est une fois méconté [7], on ne le voit plus.

C'est don de Dieu que la divination : voilà pourquoi ce devrait être une imposture punissable d'en abuser. Entre les
255 Scythes, quand les devins avaient failli de rencontre [8], on les

---

1. *En leur danser* : pendant leur danse.
2. *De la résolution* : du courage.
3. *Événements* : résultats.
4. *Par tel si* : à la condition.
5. *Où il faut* : lorsqu'il échoue.
6. *À cette cause* : pour ce motif.
7. *Méconté* : trompé.
8. *Avaient failli de rencontre* : s'étaient trompés dans leurs prophéties.

240 ouvertes à un bout, par le son desquelles ils battent la cadence pendant leurs danses. Ils sont entièrement rasés et se coupent le poil de bien plus près que nous, n'ayant que des rasoirs en bois ou en pierre. Ils croient que les âmes sont éternelles, et que celles qui ont bien mérité des dieux résident à l'endroit du ciel où le 245 soleil se lève ; celles qui sont maudites, du côté de l'Occident.

Ils ont des espèces de prêtres et de prophètes, qui se montrent bien rarement au peuple car ils habitent dans les montagnes. Quand ils arrivent, on organise une grande fête et une assemblée solennelle de plusieurs villages (chaque grange, comme je l'ai 250 décrite, constitue un village, et elles sont environ à une lieue française [1] l'une de l'autre). Ce prophète s'adresse à eux publiquement, les exhortant à la bravoure et à leur devoir ; mais toute leur science morale ne comporte que ces deux articles : le courage à la guerre et l'attachement à leurs femmes. Cet homme leur 255 prédit les choses à venir et le résultat qu'ils doivent attendre de leurs entreprises, il les incite à la guerre ou les en détourne ; mais c'est à cette condition que, lorsqu'il se trompe dans ses prévisions, et s'il leur arrive autre chose que ce qu'il leur a prédit, il est découpé en mille morceaux, s'ils l'attrapent, et condamné 260 comme faux prophète. Pour cette raison, celui qui s'est trompé une fois, on ne le voit plus.

C'est un don de Dieu que la divination ; voilà pourquoi ce devrait être une imposture punissable que d'en abuser. Chez les Scythes [2], quand les devins s'étaient trompés dans leurs

---

1. ***Lieue française*** : voir note 5, p. 51.
2. ***Scythes*** : peuple nomade de l'Antiquité vivant dans les régions d'Asie centrale et du Caucase ; l'anecdote provient d'Hérodote, *Histoires*, IV, 69.

couchait, enforgés [1] de pieds et de mains, sur des charriotes [2] pleines de bruyère, tirées par des bœufs, en quoi on les faisait brûler. Ceux qui manient les choses sujettes à la conduite de l'humaine suffisance sont excusables d'y faire ce qu'ils
260 peuvent. Mais ces autres, qui nous viennent pipant [3] des assurances d'une faculté extraordinaire qui est hors de notre connaissance, faut-il pas les punir de ce qu'ils ne maintiennent l'effet de leur promesse et de la témérité de leur imposture ?

Ils ont leurs guerres contre les nations qui sont au-delà de
265 leurs montagnes, plus avant en la terre ferme, auxquelles ils vont tous nus, n'ayant autres armes que des arcs ou des épées de bois, apointées par un bout, à la mode des langues de nos épieux. C'est chose émerveillable [4] que de la fermeté de leurs combats, qui ne finissent jamais que par meurtre et effusion
270 de sang ; car, de routes [5] et d'effroi, ils ne savent que c'est. Chacun rapporte pour son trophée la tête de l'ennemi qu'il a tué, et l'attache à l'entrée de son logis. Après avoir longtemps bien traité leurs prisonniers, et de toutes les commodités dont ils se peuvent aviser, celui qui en est le maître fait une grande
275 assemblée de ses connaissances ; il attache une corde à l'un des bras du prisonnier, par le bout de laquelle il le tient éloigné de quelques pas, de peur d'en être offensé [6], et donne au plus cher de ses amis l'autre bras à tenir de même ; et eux deux, en présence de toute l'assemblée, l'assomment [7] à
280 coups d'épée. Cela fait, ils le rôtissent et en mangent en commun, et en envoient des lopins à ceux de leurs amis qui sont absents. Ce n'est pas comme on pense pour s'en nourrir,

---

1. ***Enforgés*** : chargés de fer.
2. ***Charriotes*** : chariots.
3. ***Pipant*** : trompant.
4. ***Émerveillable*** : étonnante.
5. ***Routes*** : déroutes, fuites.
6. ***Offensé*** : blessé.
7. ***L'assomment*** : l'étourdissent ou, plus vraisemblablement, le tuent.

265 prédictions, on les couchait enchaînés par les pieds et les mains sur des charrettes pleines de broussailles, tirées par des bœufs, dans lesquelles on les faisait brûler. Ceux qui traitent des affaires soumises aux aléas des capacités humaines sont excusables de ne faire, dans ce domaine, que ce qu'ils peuvent. Mais ces autres 270 hommes, qui viennent nous tromper en se targuant d'un pouvoir extraordinaire qui échappe à notre entendement, ne faut-il pas les punir de ne pas tenir leur promesse, et de l'audace de leur imposture ?

Ils font la guerre contre les peuples qui vivent de l'autre côté 275 de leurs montagnes, plus à l'intérieur des terres, et ils y vont tous nus, n'ayant d'autres armes que des arcs ou des épées de bois, aiguisées à un bout à la façon des fers de nos lances. C'est une chose étonnante que la dureté de leurs combats, qui ne finissent jamais que par la mort et dans le sang ; car la déroute et l'effroi, 280 ils ignorent ce que c'est. Chacun rapporte comme trophée la tête de l'ennemi qu'il a tué, et l'attache à l'entrée de sa maison. Après avoir longtemps bien traité leurs prisonniers, avec tous les agréments qu'ils peuvent imaginer, celui qui en est le maître réunit beaucoup de personnes de sa connaissance : il attache une corde 285 à l'un des bras du prisonnier, par le bout de laquelle il le tient éloigné de quelques pas, de peur d'être blessé par lui, et il donne à son ami le plus cher l'autre bras à tenir de la même façon ; et ces deux-là, en présence de toute l'assemblée, l'assomment à coups d'épée. Cela fait, ils le font rôtir, en mangent une partie 290 en commun et en envoient des morceaux à leurs amis absents. Ce n'est pas, comme on le croit, pour s'en nourrir, comme le

ainsi que faisaient anciennement les Scythes ; c'est pour représenter une extrême vengeance. Et qu'il soit ainsi [1], ayant
285 aperçu que les Portugais, qui s'étaient ralliés à leurs adversaires, usaient d'une autre sorte de mort contre eux quand ils les prenaient, qui était de les enterrer jusqu'à la ceinture et tirer au demeurant du corps force coups de trait, et les pendre après : ils pensèrent que ces gens ici de l'autre monde, comme
290 ceux qui avaient semé la connaissance de beaucoup de vices parmi leur voisinage, et qui étaient beaucoup plus grands maîtres qu'eux en toute sorte de malice, ne prenaient pas sans occasion [2] cette sorte de vengeance, et qu'elle devait être plus aigre que la leur, commencèrent de quitter leur façon
295 ancienne pour suivre cette-ci. Je ne suis pas marri [3] que nous remarquons l'horreur barbaresque qu'il y a en une telle action, mais oui [4] bien de quoi, jugeant bien de leurs fautes, nous soyons si aveuglés aux nôtres. Je pense qu'il y a plus de barbarie à manger un homme vivant qu'à le manger mort, à déchirer
300 par tourments et par geines [5] un corps encore plein de sentiment [6], le faire rôtir par le menu [7], le faire mordre et meurtrir aux chiens et aux pourceaux (comme nous l'avons non seulement lu, mais vu de fraîche mémoire, non entre des ennemis anciens mais entre des voisins et concitoyens, et qui pis est
305 sous prétexte de piété et de religion), que de le rôtir et manger après qu'il est trépassé.

Chrysippus et Zenon, chefs de la secte stoïque, ont bien pensé qu'il n'y avait aucun mal de se servir de notre charogne

---

1. ***Qu'il soit ainsi*** : comme preuve qu'il en est bien ainsi.
2. ***Occasion*** : cause, motif.
3. ***Marri*** : fâché, contrarié.
4. ***Oui*** : certes.
5. ***Geines*** : tortures.
6. ***Sentiment*** : faculté de percevoir et de comprendre.
7. ***Par le menu*** : en détail, lentement.

faisaient autrefois les Scythes : c'est pour exprimer une extrême vengeance. J'en veux pour preuve ce qu'ils firent quand ils s'aperçurent que les Portugais, qui s'étaient ralliés à leurs adversaires, 295 les faisaient périr autrement, quand ils les capturaient : ils les enterraient jusqu'à la ceinture, tiraient sur le reste du corps une grosse bordée de flèches, puis les pendaient. Quand ils virent cela, ils se dirent que ces gens de l'autre monde, en hommes qui avaient semé la connaissance de beaucoup de vices chez leurs 300 voisins, et qui étaient bien plus experts qu'eux en toute sorte de malice, ne choisissaient pas sans raison cette sorte de vengeance, et qu'elle devait être plus dure que la leur : ils se mirent alors à quitter leur ancienne coutume pour suivre celle-ci. Ce qui me désole, ce n'est certes pas que nous remarquions l'effroyable bar-305 barie qu'il y a dans une telle action ; c'est bien plutôt que, jugeant bien de leurs fautes, nous soyons si aveuglés sur les nôtres. Je pense qu'il y a plus de barbarie à manger un homme vivant qu'à le manger mort, à déchirer par des tortures et des supplices un corps qui a encore toute sa sensibilité, à le faire rôtir 310 à petit feu, le faire mordre et blesser par les chiens et les pourceaux (comme nous l'avons, non seulement lu [1], mais vu de fraîche date, non entre des ennemis d'autrefois [2], mais entre des voisins et des concitoyens, et, ce qui est pire, sous prétexte de piété et de religion), que de le rôtir et le manger une fois qu'il 315 est mort.

Chrysippe et Zénon [3], chefs de l'école stoïque, ont bien pensé qu'il n'y avait aucun mal à se servir de notre cadavre de quelque

---

1. ***Comme nous l'avons [...] lu*** : Montaigne fait certainement référence à la lecture des Mémoires de Blaise de Monluc (1502-1577), qui participa aux guerres de Religion en tant que chef de guerre catholique ; ses *Commentaires* parurent en 1592.

2. ***Des ennemis d'autrefois*** : les barbares qu'affrontaient les Grecs et les Romains, tels les Scythes mentionnés plus haut.

3. ***Chrysippe*** (281-208 av. J.-C.) ***et Zénon de Cittium*** (v. 335-v. 264 av. J.-C.) : philosophes grecs ; Zénon est le fondateur de l'école stoïcienne et Chrysippe en fut le troisième chef.

à quoi que ce fut pour notre besoin, et d'en tirer de la nourri-
310 ture ; comme nos ancêtres, étant assiégés par César en la ville d'Alexia, se résolurent de soutenir la faim de ce siège par les corps des vieillards, des femmes et autres personnes inutiles au combat :

Vascones, fama est, alimentis talibus usi
315 *Produxere animas.*

Et les médecins ne craignent pas de s'en servir à toute sorte d'usage pour notre santé, soit pour l'appliquer au dedans ou au dehors ; mais il ne se trouva jamais aucune opinion si déréglée qui excusa la trahison, la déloyauté, la tyrannie, la
320 cruauté, qui sont nos fautes ordinaires. Nous les pouvons donc bien appeler barbares, eu égard aux règles de la raison, mais non pas eu égard à nous, qui les surpassons en toute sorte de barbarie. Leur guerre est toute noble et généreuse [1], et a autant d'excuse et de beauté que cette maladie humaine en peut
325 recevoir : elle n'a autre fondement parmi eux que la seule jalousie de la vertu. Ils ne sont pas en débat de la conquête de nouvelles terres, car ils jouissent encore de cette uberté [2] naturelle qui les fournit, sans travail et sans peine, de toutes choses nécessaires, en telle abondance qu'ils n'ont que faire
330 d'agrandir leurs limites. Ils sont encore en cet heureux point de ne désirer qu'autant que leurs nécessités naturelles leur ordonnent : tout ce qui est au-delà est superflu pour eux. Ils s'entr'appellent généralement, ceux de même âge, frères ; enfants, ceux qui sont au-dessous ; et les vieillards sont pères
335 à tous les autres. Ceux-ci laissent à leurs héritiers en commun cette pleine possession de biens par indivis, sans autre titre

1. ***Généreuse*** : vaillante, brave.
2. ***Uberté*** : fécondité, fertilité.

manière que ce fût pour notre besoin, et même d'en tirer de la nourriture, à l'exemple de nos ancêtres qui, assiégés par César
320 dans la ville d'Alésia, se résolurent à lutter contre la faim causée par ce siège au moyen des corps des vieillards, des femmes et des autres personnes inutiles au combat.

Les Gascons, dit-on, se nourrirent ainsi
Pour prolonger leur vie [1].

325 Et les médecins ne craignent pas de s'en [2] servir à toute sorte d'usages pour notre santé, en nous le faisant consommer ou en application externe ; mais on ne trouva jamais aucun esprit assez déréglé pour excuser la trahison, la déloyauté, la tyrannie, la cruauté, qui sont nos fautes ordinaires. Nous pouvons donc bien
330 les appeler barbares, si nous jugeons d'eux par rapport aux règles de la raison, mais non par rapport à nous, qui les surpassons en toute sorte de barbarie. Leur guerre est toute noble et brave, et elle a autant d'excuses et de beauté que cette maladie humaine en peut admettre : elle n'a chez eux d'autre motif que
335 la seule émulation à la bravoure. Ils ne se disputent pas pour la conquête de nouvelles terres, car ils jouissent encore de cette fertilité naturelle qui leur fournit sans travail et sans peine toutes les choses nécessaires, en telle abondance qu'ils n'ont que faire d'agrandir leur territoire. Ils sont encore dans cette heureuse
340 situation où ils ne désirent que ce que leurs nécessités naturelles leur ordonnent : tout ce qui est au-delà est superflu pour eux. Entre eux, ils s'appellent usuellement « frères » quand ils sont du même âge, ils nomment « enfants » les plus jeunes ; et les vieillards sont des « pères » pour tous les autres. Ceux-ci laissent
345 à leurs héritiers en commun cette possession entière des biens

1. Juvénal, *Satires*, XV, v. 93.
2. ***En*** : Montaigne parle ici des cadavres.

que celui tout pur que nature donne à ses créatures, les produisant au monde. Si leurs voisins passent les montagnes pour les venir assaillir, et qu'ils emportent la victoire sur eux,
340 l'acquest [1] du victorieux c'est la gloire, et l'avantage d'être demeuré maître en valeur et en vertu ; car autrement ils n'ont que faire des biens des vaincus et s'en retournent à leur pays, où ils n'ont faute [2] de aucune chose nécessaire, ni faute encore [3] de cette grande partie [4], de savoir heureusement jouir
345 de leur condition et s'en contenter. Autant en font ceux-ci à leur tour. Ils ne demandent à leurs prisonniers autre rançon que la confession et reconnaissance d'être vaincus ; mais il ne s'en trouve pas un, en tout un siècle, qui n'aime mieux la mort que de relâcher, ni par contenance, ni de parole, un seul point
350 d'une grandeur de courage invincible ; il ne s'en voit aucun qui n'aime mieux être tué et mangé que de requérir seulement de ne l'être pas. Ils les traitent en toute liberté, afin que la vie leur soit d'autant plus chère ; et les entretiennent communément des menaces de leur mort future, des tourments qu'ils y
355 auront à souffrir [5], des apprêts qu'on dresse pour cet effet, du détranchement [6] de leurs membres, et du festin qui se fera à leurs dépens. Tout cela se fait pour cette seule fin d'arracher de leur bouche quelque parole molle [7] ou rabaissée, ou de leur donner envie de s'enfuir, pour gagner cet avantage de les
360 avoir épouvantés et d'avoir fait force à leur constance. Car

1. ***L'acquest*** : le gain.
2. ***Ils n'ont faute*** : ils ne manquent.
3. ***Encore*** : non plus.
4. ***Partie*** : qualité.
5. ***Souffrir*** : endurer.
6. ***Détranchement*** : découpage.
7. ***Molle*** : sans courage.

qu'ont des héritiers qui restent en indivision [1], sans autre titre que celui tout pur que la Nature donne à ses créatures quand elle les met au monde. Si leurs voisins passent les montagnes pour venir les assaillir, et qu'ils remportent la victoire sur eux, le gain
350 du vainqueur se résume à la gloire et à l'avantage d'être demeuré maître en valeur et en bravoure : car mis à part cela, ils n'ont que faire des biens des vaincus et retournent dans leur pays, où ils ne manquent d'aucune chose nécessaire, ni de ce grand bien qui consiste à savoir heureusement jouir de leur condition et de
355 s'en contenter. Ceux-ci [2] en font autant à leur tour. Ils ne demandent pas à leurs prisonniers d'autre rançon que l'aveu et la reconnaissance de leur défaite ; mais il n'en est pas un seul par siècle qui ne préfère mourir plutôt que de céder [3], par son attitude ou ses paroles, la moindre part de la gloire que lui pro-
360 cure un courage à toute épreuve : on n'en voit aucun qui ne préfère être tué et mangé plutôt que de demander seulement de ne pas l'être. Ils les traitent très libéralement, afin que la vie leur soit d'autant plus chère ; et leur parlent couramment de la mort qui les menace, des tourments qu'ils auront à y souffrir, des pré-
365 paratifs que l'on fait pour cela, du découpage de leurs membres et du festin que l'on fera à leurs dépens. On ne fait cela dans aucun autre but que d'arracher de leur bouche quelque parole lâche ou basse, ou de leur donner envie de s'enfuir, pour gagner sur eux cet avantage de les avoir épouvantés, et d'avoir brisé leur

1. ***Des héritiers qui restent en indivision*** : l'indivision est une étape de l'héritage au cours de laquelle les biens, qui n'ont pas encore été partagés, sont la propriété de tous. Montaigne signifie ainsi que ce peuple vit dans un idéal de communauté qui ignore la notion de propriété personnelle.
2. ***Ceux-ci*** : les cannibales qui vivent au bord de la mer, par opposition à leurs voisins, dont il vient d'être question.
3. ***Mais il n'en est pas un seul [...] qui ne préfère mourir plutôt que de céder*** : mais tous préfèrent mourir plutôt que renoncer à.

aussi, à le bien prendre, c'est en ce seul point que consiste la vraie victoire :

[...] victoria nulla est
Quam quæ confessos animo quoque subjugat hostes.

365 Les Hongres, très belliqueux combattants, ne poursuivaient jadis leur pointe outre [1] avoir rendu l'ennemi à leur merci [2]. Car, en ayant arraché cette confession, ils le laissaient aller sans offense, sans rançon, sauf pour le plus d'en tirer parole de ne s'armer dès lors en avant contre eux.

370 Assez d'avantages gagnons-nous sur nos ennemis qui sont avantages empruntés, non pas nôtres. C'est la qualité d'un portefaix, non de la vertu, d'avoir les bras et les jambes plus raides ; c'est une qualité morte [3] et corporelle que la disposition [4] ; c'est un coup de la fortune de faire broncher notre 375 ennemi et de lui éblouir les yeux par la lumière du Soleil ; c'est un tour d'art et de science, et qui peut tomber en une personne lâche et de néant, d'être suffisant à l'escrime. L'estimation [5] et le prix d'un homme consiste au cœur et en la volonté : c'est là où gît son vrai honneur ; la vaillance c'est la 380 fermeté, non pas des jambes et des bras, mais du courage et de l'âme ; elle ne consiste pas en la valeur de notre cheval, ni de nos armes, mais en la nôtre. Celui qui tombe obstiné en son courage, *si succiderit, de genu pugnat.* Qui, pour quelque danger de la mort voisine, ne relâche aucun point de son assu-385 rance, qui regarde encore en rendant l'âme son ennemi d'une vue ferme et dédaigneuse, il est battu non pas de nous, mais

1. ***Leur pointe outre*** : leur avantage au-delà de.
2. ***Merci*** : pitié, bon vouloir
3. ***Morte*** : privée de mouvement.
4. ***La disposition*** : l'agilité.
5. ***L'estimation*** : la valeur.

370 constance. Car aussi, à bien considérer la chose, c'est seulement en ce point que consiste la vraie victoire :

La victoire véritable dompte également l'âme,
En forçant l'ennemi à s'avouer vaincu [1].

Les Hongrois, autrefois, guerriers très combatifs, ne pous-
375 saient pas plus loin leur assaut une fois qu'ils avaient fait crier grâce à leur ennemi. Car, lui ayant arraché cet aveu, ils le laissaient aller sans dommage, sans rançon, après seulement lui avoir fait promettre de ne plus s'armer contre eux à l'avenir.

Nous avons beaucoup d'avantages sur nos ennemis qui sont
380 des avantages empruntés, non les nôtres. C'est la qualité d'un portefaix [2], non de la bravoure, d'avoir les bras et les jambes plus solides ; c'est une qualité inerte et purement physique que l'agilité ; c'est un coup de chance que de faire trébucher notre ennemi et de lui éblouir les yeux avec la lumière du soleil ; c'est
385 une affaire d'art et de technique, qui peut se trouver chez un lâche et un homme de rien, que d'être bon à l'escrime. La valeur et le prix d'un homme consistent dans son cœur et dans sa volonté ; c'est là que réside son honneur véritable ; la vaillance, c'est la fermeté, non des jambes et des bras, mais du courage et
390 de l'âme ; elle ne consiste pas dans la valeur de notre cheval ni de nos armes, mais dans la nôtre. Celui qui tombe sans faiblir dans son courage « s'il est tombé, il se bat à genoux [3] » ; celui qui, malgré le danger de la mort imminente, ne cède rien de son assurance, qui, en rendant l'âme, regarde encore son ennemi
395 d'un œil ferme et dédaigneux, cet homme est battu non pas par

1. Claudien, *Le Sixième Consulat d'Honorius,* 248.
2. ***Portefaix*** : individu dont le métier est de porter des bagages ou des paquets lourds.
3. Sénèque, *De la providence*, II.

de la fortune ; il est tué, non pas vaincu : les plus vaillants sont parfois les plus infortunés.

Aussi y a-t-il des pertes triomphantes à l'envi des victoires. Ni ces quatre victoires sœurs, les plus belles que le Soleil ait onques [1] vu de ses yeux, de Salamine, de Platées, de Mycale, de Sicile, osèrent onques opposer toute leur gloire ensemble à la gloire de la déconfiture du roi Leonidas et des siens, au pas [2] des Thermopyles. Qui courut jamais d'une plus glorieuse envie et plus ambitieuse au gain [3] d'un combat que le capitaine Ischolas à la perte ? Qui plus ingénieusement et curieusement s'est assuré de son salut, que lui de sa ruine ? Il était commis à [4] défendre certain passage du Péloponnèse contre les Arcadiens. Pour quoi faire [5], se trouvant du tout incapable, vu la nature du lieu et inégalité des forces, et se résolvant que [6] tout ce qui se présenterait aux ennemis aurait de nécessité [7] à y demeurer ; d'autre part, estimant indigne et de sa propre vertu et magnanimité, et du nom lacédémonien, de faillir à sa charge, il prit entre ces deux extrémités un moyen parti, de telle sorte. Les plus jeunes et dispos de sa troupe, il les conserva à la

1. ***Onques*** : jamais.
2. ***Pas*** : passage, défilé.
3. ***Gain*** : victoire.
4. ***Commis à*** : chargé de.
5. ***Pour quoi faire*** : et pour faire cela.
6. ***Se résolvant que*** : acceptant l'idée que.
7. ***De nécessité*** : nécessairement.

nous, mais par le sort ; il est tué, mais pas vaincu. Les plus vaillants sont parfois les plus malchanceux.

Aussi y a-t-il des défaites aussi triomphales que des victoires. Et même ces quatre conquêtes, qui sont comme des sœurs, les 400 plus belles que le soleil ait jamais vues de ses yeux – de Salamine, de Platées, de Mycale, de Sicile [1] –, n'ont jamais osé opposer toutes leurs gloires réunies à la gloire de la déconfiture du roi Léonidas et des siens, dans le défilé des Thermopyles [2]. Qui courut jamais avec une plus glorieuse et plus ambitieuse envie de 405 gagner le combat que le capitaine Ischolas [3] le fit pour le perdre ? Qui s'est assuré plus ingénieusement et plus méthodiquement de son salut que ce dernier s'assura de sa ruine ? Il était chargé de défendre un certain passage du Péloponnèse contre les Arcadiens [4]. Et pour faire cela, se trouvant totalement impuis-410 sant, étant donné la nature du lieu et l'inégalité des forces en présence, et faisant le constat que tout ce qui, de son armée, se présenterait aux ennemis n'aurait aucune chance d'en réchapper, estimant d'autre part que manquer à sa mission était indigne à la fois de sa propre bravoure et grandeur d'âme et du nom 415 de Lacédémonien, il prit un parti intermédiaire, entre ces deux extrémités [5] : les plus jeunes et les plus valides de sa troupe,

1. ***Salamine*** : île grecque et nom d'une victoire des Grecs contre les Perses (480 av. J.-C.) ; ***Platées*** : ville grecque et nom d'une victoire des Grecs contre les Perses (479 av. J.-C.) ; ***Mycale*** : mont d'Ionie et nom d'une victoire des Grecs contre les Perses (479 av. J.-C.) ; ***Sicile*** : lieu de la victoire de Sparte sur la flotte athénienne pendant la guerre du Péloponnèse (413 av. J.-C.).

2. ***Défilé des Thermopyles*** : passage étroit de Thessalie, en Grèce, que défendirent jusqu'à la mort Léonidas et ses trois cents Spartiates contre des milliers de Perses (480 av. J.-C.).

3. ***Ischolas*** (IVe siècle av. J.-C.) : général spartiate.

4. ***Arcadiens*** : habitants de l'Arcadie, région du Péloponnèse, en Grèce, au nord de Sparte ; il s'agit ici d'un épisode de la guerre entre Thèbes et Sparte ; voir Diodore de Sicile, *Bibliothèque historique*, XV, 64.

5. ***Ces deux extrémités*** : la fuite ou le sacrifice de toute son armée.

tuition [1] et service de leur pays, et les y renvoya ; et avec ceux desquels le défaut [2] était moindre, il délibéra de soutenir [3] ce pas, et, par leur mort, en faire acheter aux ennemis l'entrée la plus chère qu'il lui serait possible : comme il advint. Car, étant
410 tantôt environné [4] de toutes parts par les Arcadiens, après en avoir fait une grande boucherie, lui et les siens furent tous mis [5] au fil de l'épée. Est-il quelque trophée assigné pour les vainqueurs qui ne soit mieux dû à ces vaincus ? Le vrai vaincre a pour son rôle [6] l'étour [7], non pas le salut ; et consiste l'hon-
415 neur de la vertu à combattre, non à battre.

Pour revenir à notre histoire, il s'en faut tant que ces prisonniers se rendent pour tout ce qu'on leur fait qu'au rebours [8], pendant ces deux ou trois mois qu'on les garde, ils portent une contenance gaie, ils pressent leurs maîtres de se hâter de
420 les mettre en cette épreuve, ils les défient, les injurient, leur reprochent leur lâcheté et le nombre des batailles perdues contre les leurs. J'ai une chanson faite par un prisonnier, où il y a ce trait : qu'ils viennent hardiment trétous [9] et s'assemblent pour dîner de lui, car ils mangeront quant et quant [10] leurs
425 pères et leurs aïeux, qui ont servi d'aliment et de nourriture à son corps : ces muscles, dit-il, cette chair et ces veines, ce sont les vôtres, pauvres fous que vous êtes ; vous ne reconnaissez pas que la substance des membres de vos ancêtres s'y tient

---

1. ***Tuition*** : défense.
2. ***Le défaut*** : le manque, la privation.
3. ***Soutenir*** : défendre.
4. ***Environné*** : entouré.
5. ***Mis*** : passés.
6. ***A pour son rôle*** : est à mettre au registre de.
7. ***L'étour*** : le combat.
8. ***Au rebours*** : à l'inverse, au contraire.
9. ***Trétous*** : tous.
10. ***Quant et quant*** : en même temps.

il les conserva pour la défense et le service de leur pays, et les y renvoya ; et avec ceux dont on pouvait se passer plus facilement, il décida de défendre ce passage et, par leur mort, d'en faire payer
420 l'entrée le plus chèrement possible aux ennemis : c'est bien ce qu'il advint. En effet, étant bientôt totalement encerclés par les Arcadiens, après avoir fait parmi eux un grand massacre, ils furent tous, lui et les siens, passés au fil de l'épée. Existe-t-il quelque trophée destiné aux vainqueurs qui ne soit pas plus
425 mérité par ces vaincus ? La véritable victoire s'inscrit dans le combat, non dans le salut ; et l'honneur de la bravoure consiste à combattre, non à battre.

Pour revenir à notre histoire, ces prisonniers sont si loin de se rendre, malgré tout ce qu'on leur fait subir, qu'au contraire,
430 pendant les deux ou trois mois où on les garde, ils affichent de la bonne humeur, ils pressent leurs maîtres de se dépêcher de les soumettre à cette épreuve, ils les défient, les injurient, leur reprochant leur lâcheté et le nombre des batailles perdues contre les leurs. Je possède une chanson faite par un prisonnier où l'on
435 trouve cette raillerie : qu'ils viennent hardiment, tous autant qu'ils sont, et qu'ils s'assemblent pour faire leur dîner de lui ; car ils mangeront du même coup leurs pères et leurs aïeux, qui ont servi d'aliment et de nourriture à son corps. « Ces muscles, dit-il, cette chair et ces veines, ce sont les vôtres, pauvres fous que vous
440 êtes ; vous ne vous rendez pas compte que la substance des membres de vos ancêtres s'y trouve encore : savourez-les bien,

encore : savourez-les bien, vous y trouverez le goût de votre
430 propre chair. Invention, qui ne sent aucunement la barbarie. Ceux qui les peignent mourants, et qui représentent cette action quand on les assomme, ils peignent le prisonnier crachant au visage de ceux qui le tuent et leur faisant la moue. De vrai, ils ne cessent jusqu'au dernier soupir de les braver et
435 défier de parole et de contenance. Sans mentir, au prix [1] de nous, voilà des hommes bien sauvages ; car ou il faut qu'ils le soient bien à bon escient, ou que nous le soyons : il y a une merveilleuse distance entre leur forme [2] et la nôtre.

Les hommes y ont plusieurs femmes, et en ont d'autant
440 plus grand nombre qu'ils sont en meilleure réputation de vaillance : c'est une beauté remarquable en leurs mariages que la même jalousie que nos femmes ont, pour nous empêcher de l'amitié et bienveillance d'autres femmes, les leurs l'ont toute pareille pour la leur acquérir. Étant plus soigneuses
445 de l'honneur de leurs maris que de toute autre chose, elles cherchent et mettent leur sollicitude à avoir le plus de compagnes qu'elles peuvent, d'autant que c'est un témoignage de la vertu du mari. Les nôtres crieront au miracle ; ce ne l'est pas ; c'est une vertu proprement matrimoniale, mais du plus
450 haut étage. Et, en la Bible, Lia, Rachel, Sara et les femmes de Jacob fournirent leurs belles servantes à leurs maris, et Livia seconda les appétits d'Auguste, à son intérêt ; et la femme du roi Dejotarus, Stratonique, prêta non seulement à l'usage de son mari une fort belle jeune fille de chambre qui la servait,

---

1. ***Au prix*** : en comparaison.
2. ***Leur forme*** : leur manière d'être.

vous y trouverez le goût de votre propre chair. » Voilà une invention qui ne sent pas du tout la barbarie. Ceux qui les peignent quand ils meurent, et qui décrivent l'événement quand on les assomme, peignent le prisonnier crachant au visage de ceux qui le tuent, et leur faisant la grimace. À vrai dire, ils ne cessent jusqu'à leur dernier soupir de les braver et de les défier par la parole et par l'attitude. Sans mentir, par rapport à nous, voilà des hommes bien sauvages ; car il faut, ou bien qu'ils le soient vraiment, ou bien que ce soit nous qui le soyons ; il y a une distance étonnante entre leur façon d'être et la nôtre.

Les hommes, dans leur pays, ont plusieurs femmes, et ils en ont d'autant plus qu'ils ont une plus grande réputation de vaillance ; ce qui est très beau dans leurs mariages, c'est de voir que, tandis que nos femmes mettent un soin jaloux pour nous tenir éloignés de l'amour et des faveurs d'autres femmes, les leurs mettent autant de soin pour leur faire profiter de ces relations. Étant plus soucieuses de l'honneur de leurs maris que de toute autre chose, elles cherchent de tous leurs efforts à avoir le plus de compagnes possible, puisque c'est un signe de la bravoure de leur mari. Chez nous, on trouvera cela incroyable ; ce ne l'est pas ; il s'agit d'une vertu proprement matrimoniale, mais du plus haut niveau. Dans la Bible également, Léa, Rachel, Sarah et les femmes de Jacob [1] fournirent leurs belles servantes à leurs maris [2], et Livie [3] seconda les appétits d'Auguste, à son propre détriment ; et la femme du roi Dejotarus [4], Stratonique, mit non seulement à la disposition de son mari une jeune femme de chambre très belle qui était à son service, mais elle en éleva les

---

1. ***Jacob*** : fils d'Isaac, petit-fils d'Abraham, dans la tradition biblique.
2. Voir Genèse 29.
3. ***Livie*** (58 av. J.-C.-29 apr. J.-C.) : épouse de l'empereur Auguste (63 av. J.-C.-14 apr. J.-C.).
4. ***Dejotarus*** (120-41 av. J.-C.) : roi de Galatie, dans l'actuelle Turquie.

455 mais en nourrit [1] soigneusement les enfants, et leur fît épaule à succéder aux états de leur père.

Et, afin qu'on ne pense point que tout ceci se fasse par une simple et servile obligation à leur usance, et par l'impression de l'autorité de leur ancienne coutume, sans discours [2] et sans 460 jugement, et pour avoir l'âme si stupide que de ne pouvoir prendre autre parti, il faut alléguer quelques traits de leur suffisance. Outre celui que je viens de réciter de l'une de leurs chansons guerrières, j'en ai une autre, amoureuse, qui commence en ce sens : Couleuvre arrête-toi, arrête-toi couleuvre, 465 afin que ma sœur tire sur le patron de ta peinture la façon et l'ouvrage d'un riche cordon, que je puisse donner à m'amie : ainsi soit en tout temps ta beauté et ta disposition préférées à tous les autres serpents. Ce premier couplet, c'est le refrain de la chanson. Or j'ai assez de commerce avec la poésie pour 470 juger ceci, que non seulement il n'y a rien de barbarie en cette imagination, mais qu'elle est tout à fait anacréontique. Leur langage, au demeurant, c'est un doux langage et qui a le son agréable, retirant [3] aux terminaisons grecques.

Trois d'entre eux, ignorant combien coûtera un jour, à leur 475 repos et à leur bonheur, la connaissance des corruptions de deçà, et que de ce commerce naîtra leur ruine, comme je présuppose qu'elle soit déjà avancée, bien misérables de s'être laissé piper au désir de la nouvelleté [4], et avoir quitté la douceur de leur ciel pour venir voir le nôtre, furent à Rouen, du 480 temps que le feu roi Charles neuvième y était. Le roi parla à eux longtemps, on leur fit voir notre façon, notre pompe, la

1. ***Nourrit*** : éleva.
2. ***Discours*** : réflexion.
3. ***Retirant*** : ressemblant.
4. ***Nouvelleté*** : nouveauté.

enfants avec soin, et les épaula pour succéder aux privilèges de
470 leur père.

Et pour que l'on n'aille pas s'imaginer que tout cela se produit à cause d'une simple et servile soumission à leur tradition et sous la pression exercée par l'autorité de leurs coutumes ancestrales, sans réflexion et sans jugement, et parce qu'ils auraient
475 l'esprit tellement stupide qu'ils seraient incapables de faire un autre choix, il faut mentionner quelques traits de leur intelligence. Outre celui que je viens de rapporter à propos de l'une de leurs chansons guerrières, je connais une autre chanson, d'amour cette fois, qui commence ainsi : « Couleuvre, arrête-toi ; arrête-
480 toi, couleuvre, afin que ma sœur prenne modèle sur ton image pour dessiner la forme et la façon d'un précieux cordon que je puisse offrir à ma mie : qu'ainsi, à tout jamais, soient préférées ta beauté et ton allure à celles de tous les autres serpents. » Ce premier couplet, c'est le refrain de la chanson. Or je suis assez
485 versé dans la poésie pour juger que non seulement il n'y a rien de barbare dans cette image, mais qu'elle est tout à fait dans le style anacréontique [1]. Leur langue, au demeurant, est une langue douce et qui a une sonorité agréable, ressemblant au grec par ses terminaisons.

490 Trois d'entre eux, ignorant combien coûtera un jour à leur tranquillité et à leur bonheur la connaissance des corruptions de ce côté-ci de l'océan, ignorant aussi que de cette fréquentation viendra leur ruine (dont je devine d'ailleurs qu'elle est déjà fort avancée), bien malheureux de s'être laissé duper par le désir de
495 la nouveauté et d'avoir quitté la douceur de leur ciel pour venir voir le nôtre, vinrent à Rouen, au moment où le défunt roi Charles IX y était [2]. Le roi leur parla longtemps ; on leur fit voir

1. ***Dans le style anacréontique*** : à la manière d'Anacréon (560-478 av. J.-C.), poète lyrique grec.

2. ***Au moment où le défunt roi Charles IX y était*** : soit en 1562, pendant les guerres de Religion, quand Rouen fut reprise aux protestants ; Montaigne y était alors avec la cour ; le roi Charles IX (1550-1574) avait seulement 12 ans.

forme d'une belle ville. Après cela, quelqu'un en demanda leur avis, et voulut savoir d'eux ce qu'ils y avaient trouvé de plus admirable : ils répondirent trois choses, d'où j'ai perdu la
485 troisième, et en suis bien marri, mais j'en ai encore deux en mémoire. Ils dirent qu'ils trouvaient en premier lieu fort étrange que tant de grands hommes portant barbe, forts et armés, qui étaient autour du roi (il est vraisemblable qu'ils parlaient des Suisses de sa garde) se soumissent à obéir à un
490 enfant, et qu'on ne choisissait plutôt quelqu'un d'entre eux pour commander ; secondement (ils ont une façon de leur langage telle qu'ils nomment les hommes moitié les uns des autres) qu'ils avaient aperçu qu'il y avait parmi nous des hommes pleins et gorgés de toutes sortes de commodités, et
495 que leurs moitiés étaient mendiants à leurs portes, décharnés de faim et de pauvreté, et trouvaient étrange comme ces moitiés ici nécessiteuses pouvaient souffrir une telle injustice qu'ils [1] ne prissent les autres à la gorge, ou missent le feu à leurs maisons.

500 Je parlai à l'un d'eux fort longtemps, mais j'avais un truchement [2] qui me suivait si mal, et qui était si empêché à recevoir mes imaginations par sa bêtise, que je n'en pus tirer guère de plaisir. Sur ce que je lui demandai quel fruit il recevait de la supériorité qu'il avait parmi les siens (car c'était un capitaine,
505 et nos matelots le nommaient roi), il me dit que c'était marcher le premier à la guerre ; de combien d'hommes il était suivi, il me montra un espace de lieu pour signifier que c'était autant qu'il en pourrait [3] en un tel espace, ce pouvait être quatre ou cinq mille hommes ; si hors la guerre toute son autorité était
510 expirée, il dit qu'il lui en restait cela que, quand il visitait les villages qui dépendaient de lui, on lui dressait des sentiers

---

1. ***Qu'ils*** : sans qu'ils.
2. ***Truchement*** : interprète.
3. ***Pourrait*** : pourrait tenir.

nos manières, notre faste, ce que c'est qu'une belle ville. Après cela, quelqu'un leur demanda ce qu'ils en pensaient, et voulut savoir ce qu'ils avaient trouvé là de plus extraordinaire ; ils répondirent trois choses – j'ai oublié la troisième et j'en suis bien contrarié ; mais j'en ai encore deux en mémoire. Ils dirent qu'ils trouvaient d'abord très étrange que tant de grands hommes barbus, forts et armés, qui entouraient le roi (ils parlaient sans doute de ses gardes suisses), acceptent d'obéir à un enfant, et qu'on ne choisisse pas plutôt l'un d'entre eux pour commander ; deuxièmement (dans leur langage, ils nomment les hommes « moitiés » les uns des autres) ils avaient remarqué qu'il y avait parmi nous des hommes repus et gorgés de toutes sortes de commodités, et que ceux qui étaient la « moitié » d'eux mendiaient à leurs portes, décharnés par la faim et la pauvreté ; et ils trouvaient étrange la façon dont ces « moitiés » miséreuses pouvaient supporter une telle injustice, sans prendre les autres à la gorge ou mettre leurs maisons à feu.

J'ai parlé à l'un d'entre eux très longtemps ; mais j'avais un interprète qui me suivait si mal, et que sa bêtise empêchait tant de comprendre mes idées, que je ne pus guère en tirer de plaisir. Quand je lui demandai quel bénéfice il tirait de la supériorité qu'il avait sur les siens (car c'était un chef militaire, et nos matelots l'appelaient « roi »), il me dit que c'était de marcher le premier à la guerre ; de combien d'hommes était-il suivi ? Il me montra un certain espace, pour indiquer que c'était autant qu'on pourrait en mettre là, et cela pouvait faire quatre ou cinq mille hommes ; en dehors de la guerre, toute son autorité s'évanouissait-elle ? Il dit que ce qui lui en restait, c'était que, quand il visitait les villages qui dépendaient de lui, on lui traçait au travers des haies de leurs bois, par où il peut passer bien à l'aise.

Tout cela ne va pas trop mal : mais quoi, ils ne portent 515 point de haut de chausses.

des sentiers à travers les fourrés de leurs bois, pour qu'il puisse y passer bien à l'aise.

Tout cela n'est pas si mal : mais quoi, ils ne portent point de
530 haut-de-chausses [1] !

1. ***Haut-de-chausses*** : sorte de pantalon court porté par les aristocrates.

■ Théodore de Bry (1528-1598), gravure issue de l'ouvrage *Grands Voyages, Americae tertia pars*, 1592.

Cette gravure qui représente le cannibalisme des Tupinambas s'appuie sur les récits de voyage de Hans Staden au Brésil vers 1550.

Des coches

Livre III, chapitre VI

Des coches [1]

Il est bien aisé à vérifier que les grands auteurs, écrivant des causes, ne se servent pas seulement de celles qu'ils estiment être vraies mais de celles encore qu'ils ne croient pas, pourvu qu'elles aient quelque invention et beauté. Ils
5 disent assez véritablement et utilement s'ils disent ingénieusement. Nous ne pouvons nous assurer de la maîtresse cause ; nous en entassons plusieurs, voir si par rencontre [2] elle se trouvera en ce nombre,

[...] namque unam dicere causam
10 *Non satis est, verum plures, unde una tamen sit.*

Me demandez-vous d'où vient cette coutume de bénir ceux qui éternuent ? Nous produisons trois sortes de vent : celui qui sort par en bas est trop sale ; celui qui sort par la bouche porte quelque reproche de gourmandise ; le troisième
15 est l'éternuement ; et, parce qu'il vient de la tête et est sans blâme, nous lui faisons cet honnête recueil [3]. Ne vous moquez pas de cette subtilité ; elle est (dit-on) d'Aristote.

Il me semble avoir vu en Plutarque (qui est de tous les auteurs que je connaisse celui qui a mieux mêlé l'art à la
20 nature et le jugement à la science), rendant la cause du soulèvement d'estomac qui advient à ceux qui voyagent en mer,

1. ***Coches*** : véhicules tirés par des chevaux.
2. ***Par rencontre*** : par hasard.
3. ***Recueil*** : accueil.

Sur les voitures

Il est bien facile de vérifier que les grands auteurs, quand ils écrivent sur les causes des phénomènes, ne se servent pas seulement de celles qu'ils estiment être vraies, mais encore de celles auxquelles ils ne croient pas, pourvu qu'elles aient quelque chose
5 d'ingénieux et de beau. Ils disent sans doute des choses vraies et utiles, s'ils les disent habilement ! Nous ne pouvons nous assurer de la cause ultime ; nous en entassons plusieurs, pour voir si par chance elle se trouvera en ce nombre,

[...] car il ne suffit pas de ne dire qu'une cause,
10 *Mais il en faut plusieurs, dont une sera vraie* [1].

Vous me demandez d'où vient cette coutume de bénir ceux qui éternuent ? Nous produisons trois sortes de vent : celui qui sort par en bas est trop sale ; celui qui sort par la bouche entraîne avec lui quelque reproche de gourmandise ; le troisième est l'éter-
15 nuement ; et puisqu'il vient de la tête et qu'il n'a rien de blâmable, nous lui faisons cet accueil honorable. Ne vous moquez pas de cette subtilité ; elle est (dit-on) d'Aristote [2].

Il me semble avoir lu chez Plutarque (qui est de tous les auteurs que je connaisse celui qui a le mieux su allier l'art à la
20 nature et le jugement à la science) l'explication de la cause du soulèvement d'estomac dont sont victimes les gens qui voyagent en mer selon laquelle cela leur vient de la crainte qu'ils

---

1. Lucrèce, *De la nature*, VI, v. 703-704.
2. Voir Aristote, *Problèmes*, XXXIII, 9.

que cela leur arrive de crainte, ayant trouvé quelque raison par laquelle il prouve que la crainte peut produire un tel effet. Moi, qui y suis fort sujet, sais bien que cette cause ne me
25 touche pas, et le sais non par argument, mais par nécessaire expérience. Sans alléguer ce qu'on m'a dit, qu'il en arrive de même souvent aux bêtes, et notamment aux pourceaux, hors de toute appréhension de danger ; et ce qu'un mien connaissant m'a témoigné de soi, qu'y étant fort sujet, l'envie de vomir
30 lui était passée deux ou trois fois, se trouvant pressé de frayeur en grande tourmente [1], comme à cet ancien : *pejus vexabar quam ut periculum mihi succurreret* ; je n'eus jamais peur sur l'eau, comme je n'ai aussi ailleurs (et s'en est assez souvent offert de juste, si la mort l'est) qui m'ait au moins troublé ou
35 ébloui. Elle naît parfois de faute de jugement, comme de faute de cœur. Tous les dangers que j'ai vus, ç'a été les yeux ouverts, la vue libre, saine et entière ; encore faut-il du courage à craindre. Il me servit autrefois, au prix d'autres, pour conduire et tenir en ordre ma fuite, qu'elle fut, sinon sans
40 crainte, toutefois sans effroi et sans étonnement [2] ; elle était émue, mais non pas étourdie ni éperdue.

Les grandes âmes vont bien plus outre, et représentent des fuites non rassisses [3] seulement et saines, mais fières. Disons celle qu'Alcibiade récite de Socrate, son compagnon d'armes :
45 Je le trouvai (dit-il) après la route de notre armée, lui et Lachez,

1. ***Tourmente*** : tempête.
2. ***Étonnement*** : trouble profond.
3. ***Rassisses*** : calmes.

éprouvent, puisqu'il a trouvé un raisonnement qui prouve que la crainte peut produire un tel effet [1]. Moi-même, qui suis fort sujet à ce malaise, je sais bien que cette cause ne joue pas sur moi, et je le sais non par un argument, mais en vertu d'une indiscutable expérience. Je n'ai pas besoin d'alléguer ce qu'on m'a dit, à savoir qu'il arrive la même chose aux bêtes, tout particulièrement aux porcs, qui n'ont aucune idée du danger ; ni le témoignage personnel d'un de mes amis : il y est fort sujet, mais l'envie de vomir lui est passée deux ou trois fois sous le coup d'une grande frayeur, en pleine tempête ; comme cela arriva à cet auteur antique : « J'étais trop malade pour songer au péril [2] » ; je n'eus jamais peur sur l'eau, pas plus que dans d'autres circonstances (et il s'en est assez souvent présenté qui auraient pu susciter la peur, si la mort en est une), en tout cas pas au point d'en être bouleversé et aveuglé. La peur naît parfois d'un manque de jugement, ou d'un manque de courage. Tous les dangers que j'ai vus, cela a été les yeux ouverts, la vue claire, saine et entière ; même dans la crainte, il faut du courage. Ce dernier me fut utile autrefois, autant qu'à d'autres, pour diriger ma fuite et la garder en ordre, afin qu'elle soit, sinon sans crainte, du moins sans panique et sans ébranlement ; elle était émue, mais pas étourdie, ni éperdue.

Les grandes âmes font beaucoup mieux, et montrent l'exemple de fuites non seulement calmes et saines, mais fières. Rapportons ce qu'Alcibiade raconte de la fuite de Socrate [3], son compagnon d'armes : « Je le trouvai (dit-il) après la déroute de

---

1. Voir Plutarque, *Questions naturelles*, XI.
2. Sénèque, *Lettres à Lucilius*, LIII.
3. ***La fuite de Socrate*** : cet épisode vient du *Banquet* de Platon (220e-221c), ici librement paraphrasé par Montaigne ; Alcibiade (v. 450-404 av. J.-C.), homme d'État athénien, était un ami de Socrate (v. 470-399 av. J.-C.), lui-même philosophe et maître de Platon.

des derniers entre les fuyants ; et le considérai tout à mon aise et en sûreté, car j'étais sur un bon cheval et lui à pied, et avions ainsi combattu. Je remarquai premièrement combien il montrait d'avisement [1] et de résolution au prix de Lachez, et puis la braverie [2] de son marcher, nullement différent du sien ordinaire, sa vue ferme et réglée, considérant et jugeant ce qui se passait autour de lui, regardant tantôt les uns tantôt les autres, amis et ennemis, d'une façon qui encourageait les uns et signifiait aux autres qu'il était pour vendre bien cher son sang et sa vie à qui essayerait de la lui ôter ; et se sauvèrent ainsi : car volontiers on n'attaque pas ceux-ci ; on court après les effrayés. Voilà le témoignage de ce grand capitaine qui nous apprend ce que nous essayons [3] tous les jours : qu'il n'est rien qui nous jette tant aux dangers qu'une faim inconsidérée de nous en mettre hors. *Quo timoris minus est, eo minus ferme periculi est.* Notre peuple a tort de dire : celui-là craint la mort, quand il veut exprimer qu'il y songe et qu'il la prévoit. La prévoyance convient également à ce qui nous touche en bien et en mal. Considérer et juger le danger est aucunement le rebours de s'en étonner [4].

Je ne me sens pas assez fort pour soutenir le coup et l'impétuosité de cette passion de la peur, ni d'autre véhémente. Si j'en étais un coup vaincu et atterré, je ne m'en relèverais jamais bien entier. Qui aurait fait perdre pied à mon âme ne la remettrait jamais droite en sa place ; elle se retâte et recherche trop vivement et profondément, et pourtant, ne lairrait [5] jamais ressouder et consolider la plaie qui l'aurait percée. Il m'a bien pris qu'aucune maladie ne me l'ait encore

1. ***D'avisement*** : de présence d'esprit.
2. ***Braverie*** : bravoure, hardiesse.
3. ***Nous essayons*** : nous expérimentons.
4. ***De s'en étonner*** : d'en être bouleversé.
5. ***Pourtant, ne lairrait*** : pour ce motif, ne laisserait.

PORTRAITS DE CANNIBALES

Les peuples du Nouveau Monde évoqués dans les récits de voyage ont donné lieu à de nombreuses illustrations à partir du XVIe siècle. Ces deux portraits de chefs amérindiens présentés dans une *Cosmographie universelle* montrent un souci d'exactitude dans la représentation de leurs armes et de leurs parures. Ils témoignent également de la partialité du regard de l'auteur, qui établit un partage entre « bons » et « mauvais » autochtones en fonction de leur relation avec les colons.

***Portrait du roi Quoniambec*, André Thevet, *Cosmographie universelle*, t. II, 1575.**

« Et quoi qu'il fût barbare, je crois toutefois, que s'il eût vécu longuement, il eût fait de grandes choses, étant secouru des nôtres. » André Thevet, *Cosmographie universelle*.

***Portrait d'un roi des cannibales*, André Thevet, *Cosmographie universelle*, t. II, 1575.**

« Ce peuple [...] est le plus cruel et inhumain [...], [et] mange ordinairement chair humaine, comme nous ferions du mouton, et y prennent encore plus grand plaisir. » André Thevet, *Les Singularités de la France antarctique*.

QUESTION :

À partir de ces illustrations et des citations, que pensez-vous de la manière dont André Thevet considère les Amérindiens ?

LES LIEUX DES *ESSAIS*

Les villes de Cusco et de Mexico sont évoquées par Montaigne dans le chapitre « Des coches » (voir p. 127). Il en loue la magnificence et déplore la destruction des cités amérindiennes. Cusco est la capitale des Incas, Mexico, celle des Aztèques. Les deux illustrations suivantes rendent perceptibles le raffinement de ces cultures et l'avancement de l'urbanisme au moment de l'arrivée des Européens.

***Vue de la ville inca de Cusco (Pérou) en 1556*, Théodore de Bry (1528-1598), *Americae pars sexta*, 1596.**

“[A]ucun ouvrage de la Grèce, ni de Rome, ni d'Égypte ne peut rivaliser en utilité, en difficulté ou en noblesse avec le chemin que l'on peut voir au Pérou, construit par les rois de ce pays, depuis la ville de Quito jusqu'à celle de Cusco […].” (p. 145)

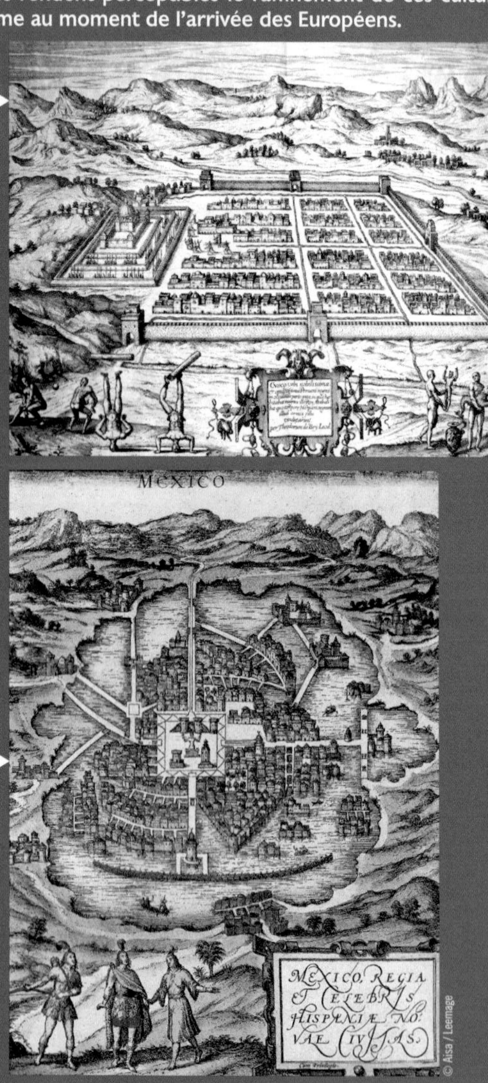

***Vue de la ville de Mexico*, Franz Hogenberg (1535-1590), *Civitates orbis terrarum*, 1576.**

AGUIRRE, LA COLÈRE DE DIEU DE WERNER HERZOG

Sorti en 1972, le film de Werner Herzog *Aguirre, la colère de Dieu* a été tourné au Pérou. Il met en scène une expédition espagnole du XVIe siècle, mandatée par Gonzalo Pizarro pour trouver l'Eldorado, un pays fabuleux d'Amérique du Sud censé regorger d'or et de produits précieux. L'un des lieutenants, Lope de Aguirre, prend le pouvoir de façon autoritaire et embarque avec le reste de l'expédition à bord d'un radeau en quête de la cité d'or. La folie du personnage principal est à l'image de la violence et de la démesure des prétentions coloniales dénoncées par Montaigne dans « Des coches ».

Photogrammes issus du film (1972).

“[N]e trouvant pas après cette victoire tout l'or qu'ils s'étaient promis, après avoir tout remué et tout fouillé, les Espagnols se mirent à s'enquérir de cet or en infligeant aux prisonniers qu'ils détenaient les supplices les plus terribles qu'ils pouvaient inventer.”
(p. 137)

LES AMÉRINDIENS DANS L'OBJECTIF

Au cours du XXe siècle et au début du XXIe siècle, des photographes ont pris pour sujet les Amérindiens. Edward Sheriff Curtis (1868-1952) a sillonné les États-Unis pour saisir sur sa pellicule les membres de quelque 80 tribus, avec l'ambition de recueillir les dernières traces de cultures en voie de disparition. Il a ainsi constitué une collection de plus de 2000 clichés. Plus récemment, The Red Road Project («le projet de la route rouge»), lancé par la photographe italienne Carlotta Cardana et l'auteure américaine Danielle SeeWalker, membre du peuple sioux, a pour vocation de montrer le quotidien et les pratiques culturelles des Amérindiens aujourd'hui afin de modifier l'image négative qui leur est souvent associée.

***Portrait d'un homme jicarilla* (groupe d'Apaches vivant dans le sud-ouest des États-Unis), Edward S. Curtis, vers 1905.**

***Evereta et sa Mustang*, Carlotta Cardana, 2014.**
Membre des Navajos, Evereta Thinn pose ici avec sa Ford Mustang dans Monument Valley, un site naturel au sud-ouest des États-Unis où se situe une des réserves navajos. Evereta travaille dans le milieu éducatif et espère pouvoir un jour fonder une école qui transmette la langue et la culture de son peuple.

notre armée, lui et Lachès [1], parmi les derniers à fuir ; et je l'examinai tout à mon aise et en toute sécurité, car j'étais sur un bon cheval et lui était à pied – c'est ainsi que nous avions combattu. Je remarquai d'abord combien il montrait de sang-froid et de résolution en comparaison de Lachès, puis la hardiesse avec laquelle il marchait, comme à son habitude, son regard ferme et bien réglé, observant et jugeant ce qui se passait autour de lui, regardant tantôt les uns, tantôt les autres, amis et ennemis, d'une façon qui encourageait les uns et signifiait aux autres qu'il était prêt à vendre bien cher son sang et sa vie à qui chercherait à l'en priver ; et c'est ainsi qu'ils [2] s'échappèrent : car on n'attaque pas volontiers ces gens-là ; on court après ceux qui s'effraient. » Voilà le témoignage de ce grand chef d'armée, qui nous apprend ce dont nous faisons tous les jours l'expérience : qu'il n'y a rien qui nous jette tant dans les dangers qu'un désir irraisonné de leur échapper. « En général, moins on a peur, moins on court de risques [3]. » Les gens ont tort de dire qu'untel « craint la mort », quand on veut dire qu'il y pense et qu'il la prévoit. On prévoit autant les choses qui nous font du bien que celles qui nous font du mal. Considérer et apprécier le danger, c'est plutôt le contraire d'en être bouleversé.

Je ne me sens pas assez fort pour soutenir le choc et l'impétuosité de cette passion qu'est la peur, pas plus que d'une autre passion violente. S'il m'arrivait d'être vaincu et terrassé par elle, je ne m'en relèverais jamais complètement. Qui aurait fait perdre pied à mon âme ne la remettrait jamais debout dans sa position initiale ; elle s'étudie et s'examine trop vivement et trop profondément, et par suite, elle ne laisserait jamais se refermer et se cicatriser la plaie qui l'aurait transpercée. Heureusement pour

1. ***Lachès*** (475-418 av. J.-C.) : général athénien.
2. ***Ils*** : Socrate et Lachès.
3. Tite-Live, *Histoire de Rome*, XXII, 5.

démise. À chaque charge qui me vient, je me présente et oppose en mon haut appareil, ainsi, la première qui m'emporterait me mettrait sans ressource. Je n'en fais point à deux ; par quelque endroit que le ravage faussât ma levée [1], me voilà ouvert et noyé sans remède. Epicurus dit que le sage ne peut jamais passer à un état contraire. J'ai quelque opinion de l'envers de cette sentence, que qui aura été une fois bien fou ne sera nulle autre fois bien sage.

Dieu donne le froid selon la robe, et me donne les passions selon le moyen que j'ai de les soutenir. Nature, m'ayant découvert d'un côté, m'a couvert de l'autre ; m'ayant désarmé de force, m'a armé d'insensibilité et d'une appréhension réglée ou mousse.

Or je ne puis souffrir longtemps (et les souffrais plus difficilement en jeunesse) ni coche, ni litière, ni bateau ; et hais toute autre voiture [2] que de cheval, et en la ville et aux champs. Mais je puis souffrir la litière moins qu'un coche et, par même raison, plus aisément une agitation rude sur l'eau, d'où se produit la peur, que le mouvement qui se sent en temps calme. Par cette légère secousse que les avirons donnent, dérobant le vaisseau sous nous, je me sens brouiller, je ne sais comment, la tête et l'estomac, comme je ne puis souffrir sous moi un siège tremblant. Quand la voile ou le cours de l'eau nous emporte également ou qu'on nous touë [3], cette agitation unie ne me blesse aucunement : c'est un remuement interrompu qui m'offense, et plus quand il est languissant. Je ne saurais autrement peindre sa forme. Les médecins m'ont ordonné de me presser et sangler d'une serviette le bas du ventre pour remédier à cet accident ; ce que je n'ai

1. ***Faussât ma levée*** : rompît ma digue.
2. ***Voiture*** : mode de transport.
3. ***On nous touë*** : on nous remorque.

moi, aucune maladie ne me l'a encore abattue. À chaque attaque que je rencontre, je me présente et je fais front armé de pied en
80 cap, de sorte que la première qui m'emporterait me laisserait sans ressource. Je ne peux pas faire face à deux attaques ; par quelque côté que le ravage rompît ma digue, je me trouverais exposé et noyé sans remède. Épicure dit que le sage ne peut jamais passer à un état contraire. J'ai l'impression que c'est plutôt l'inverse :
85 qui aura été bien fou une fois ne sera plus jamais bien sage.

Dieu donne le froid selon le vêtement que l'on porte, et il me donne les passions [1] selon le moyen que j'ai de les soutenir. La nature m'a découvert d'un côté, mais elle m'a couvert de l'autre ; elle ne m'a pas armé de force, mais elle m'a armé d'insensibilité
90 et d'une appréhension modérée et émoussée [2].

En revanche, je ne supporte pas longtemps (et je les supportais plus difficilement quand j'étais jeune) la voiture [3], la litière, et le bateau ; et je déteste tout autre véhicule que le cheval, que ce soit en ville ou à la campagne. Mais je supporte la litière
95 encore moins qu'une voiture, et pour les mêmes raisons je supporte mieux une eau très agitée, qui peut faire peur, que le mouvement que l'on ressent par temps calme. À cause de cette légère secousse provoquée par les rames, qui font se dérober le bateau sous nos pieds, je sens, sans savoir pourquoi, ma tête et mon
100 estomac qui se barbouillent, de même que je ne puis supporter d'être assis sur un siège qui bouge. Quand la voile ou le courant nous emporte de façon régulière, ou qu'on nous remorque, ce mouvement uniforme ne m'affecte nullement : c'est un remuement discontinu qui m'est pénible, surtout quand il est faible. Je
105 ne saurais le décrire autrement. Pour remédier à ce problème, les médecins m'ont prescrit de me sangler le bas du ventre avec une serviette bien serrée ; je n'ai pas essayé, ayant l'habitude de

---

1. ***Passions*** : à la fois émotions et souffrances.
2. ***Émoussée*** : peu tranchante, peu vive.
3. ***Voiture*** : véhicule tiré par des chevaux.

point essayé, ayant accoutumé de luicter[1] les défauts qui sont en moi et les dompter par moi-même.

105 Si j'en avais la mémoire suffisamment informée, je ne plaindrais mon temps[2] à dire ici l'infinie variété que les histoires nous présentent de l'usage des coches au service de la guerre, divers selon les nations, selon les siècles, de grand effet, ce me semble, et nécessité ; si que c'est merveille que 110 nous en ayons perdu toute connaissance. J'en dirai seulement ceci, que tout fraîchement, du temps de nos pères, les Hongres les mirent très utilement en besogne contre les Turcs, en chacun y ayant un rondelier et un mousquetaire, et nombre d'arquebuses rangées, prestes et chargées : le tout couvert 115 d'une pavesade à la mode d'une galiote. Ils faisaient front à leur bataille[3] de trois mille tels coches et, après que le canon avait joué, les faisaient tirer avant et avaler aux ennemis cette salve avant que de tâter le reste, qui[4] n'était pas un léger avancement ; ou les décochaient[5] dans leurs escadrons pour 120 les rompre et y faire jour, outre le secours qu'ils en pouvaient tirer pour flanquer en lieu chatouilleux[6] les troupes marchant en la campagne, ou à couvrir un logis[7] à la hâte et le fortifier. De mon temps, un gentilhomme, en l'une de nos frontières, impost[8] de sa personne et ne trouvant cheval capable de son 125 poids, ayant une querelle, marchait par pays en coche de même cette peinture, et s'en trouvait très bien. Mais laissons

1. ***Luicter*** : lutter contre.
2. ***Je ne plaindrais mon temps*** : je n'épargnerais pas mon temps.
3. ***Bataille*** : troupe.
4. ***Qui*** : ce qui.
5. ***Les décochaient*** : lançaient ces coches.
6. ***Chatouilleux*** : dangereux.
7. ***Logis*** : campement.
8. ***Impost*** : impotent.

combattre et de dompter par moi-même les défauts qui sont en moi.

110 Si ma mémoire en était assez informée, je n'épargnerais pas mon temps à raconter ici l'infinie variété des usages que l'on a faits des voitures au service de la guerre, comme les historiens le rapportent : usages divers selon les peuples et les époques, très efficaces, me semble-t-il, et très nécessaires ; si bien qu'il est 115 incroyable que nous en ayons perdu le souvenir. J'en dirai seulement ceci : il n'y a pas si longtemps, du temps de nos parents, les Hongrois en firent un usage très utile contre les Turcs, chaque voiture transportant un rondelier [1] et un mousquetaire [2], et de nombreuses arquebuses [3] disposées en rangs, prêtes et chargées, 120 le tout couvert d'une pavesade [4] à la manière d'une galiote [5]. Ils plaçaient sur la ligne de front trois mille voitures ainsi équipées et, quand les canons avaient tiré, ils les faisaient avancer et infligeaient aux ennemis cette salve avant de s'attaquer au reste de la troupe, ce qui ne représentait pas un petit avantage ; ou bien ils 125 lançaient ces voitures sur les escadrons ennemis pour les rompre et ouvrir une brèche, sans compter le secours qu'ils pouvaient en tirer pour couvrir, en terrain peu sûr, le flanc des troupes qui marchaient dans la campagne, ou protéger à la hâte un campement et le fortifier. De mon temps, sur l'une de nos frontières, 130 un gentilhomme impotent [6] et qui ne trouvait pas de cheval capable de supporter son poids, ayant un conflit à régler, parcourait le pays dans une voiture de ce genre, et il s'en trouvait très bien. Mais laissons là ces voitures guerrières. Les rois de notre

---

1. ***Rondelier*** : soldat armé d'une rondelle (boulier rond).
2. ***Mousquetaire*** : fantassin armé d'un mousquet (fusil léger).
3. ***Arquebuses*** : fusils lourds et peu maniables.
4. ***Pavesade*** : rangée de pavois (boucliers) qui protégeait le bord des navires.
5. ***Une galiote*** : un petit navire de guerre.
6. ***Impotent*** : qui souffre d'un handicap ou d'une incapacité de se mouvoir.

ces coches guerriers. Les rois de notre première race marchaient en pays sur un charriot trainé par quatre bœufs.

Marc Antoine fut le premier qui se fit mener à Rome, et 130 une garce ménestrière [1] quand et lui [2], par des lions attelés à un coche. Heliogabalus en fit depuis autant, se disant Cibelé, la mère des dieux, et aussi par des tigres, contrefaisant le dieu Bacchus ; il attela aussi parfois deux cerfs à son coche, et une autre fois quatre chiens, et encore quatre garces nues, se fai- 135 sant traîner par elles en pompe tout nu. L'empereur Firmus fit mener son coche à des autruches de merveilleuse grandeur, de manière qu'il semblait plus voler que rouler. L'étrangeté de ces inventions me met en tête cette autre fantaisie [3] : que c'est une espèce de pusillanimité aux monarques, et un témoignage 140 de ne sentir point assez ce qu'ils sont, de travailler à se faire valoir et paraître par dépenses excessives. Ce serait chose excusable en pays étranger ; mais, parmi ses sujets, où il peut tout, il tire de sa dignité le plus extrême degré d'honneur où il puisse arriver. Comme à un gentilhomme il me semble qu'il 145 est superflu de se vêtir curieusement en son privé [4] ; sa maison, son train, sa cuisine, répondent assez de lui.

1. ***Une garce ménestrière*** : une femme jouant d'un instrument de musique.
2. ***Quand et lui*** : avec lui.
3. ***Fantaisie*** : idée.
4. ***En son privé*** : chez lui.

première dynastie [1] parcouraient le pays sur un chariot tiré par
135 quatre bœufs.

Marc Antoine [2] fut le premier à se faire conduire à Rome, en compagnie d'une musicienne, par des lions attelés à une voiture. Plus tard Héliogabale [3] en fit autant, se prenant pour Cybèle [4], la mère des dieux, et il utilisa encore des tigres, pour imiter le
140 dieu Bacchus [5] ; il attela aussi parfois deux cerfs à sa voiture, une autre fois quatre chiens, et encore quatre femmes nues, se faisant tirer par elles en procession, tout nu lui-même. L'empereur Firmus [6] fit traîner sa voiture par des autruches d'une taille extraordinaire, de sorte qu'il semblait plutôt voler que rouler. L'étran-
145 geté de ces inventions me fait penser à autre chose : c'est, chez les monarques, une forme de mesquinerie, et la preuve qu'ils n'ont pas vraiment confiance en eux-mêmes, que de s'appliquer à se faire valoir et à paraître par des dépenses excessives. Ce serait une chose excusable en pays étranger ; mais parmi ses
150 sujets, où son pouvoir est absolu, c'est de la dignité de sa charge que le souverain tire les honneurs les plus éminents auxquels il puisse parvenir. De même, pour un gentilhomme, il me semble superflu qu'il s'habille avec grand soin quand il est chez lui ; sa maison, sa suite [7], sa cuisine témoignent suffisamment
155 pour lui.

---

1. ***Les rois de notre première dynastie*** : les Mérovingiens, qui régnèrent en France du Ve au VIIIe siècle.
2. ***Marc Antoine*** (83-30 av. J.-C.) : consul et général romain, cousin de Jules César et prétendant au pouvoir suprême.
3. ***Héliogabale*** (v. 203-222) : empereur romain réputé pour sa luxure.
4. ***Cybèle*** : déesse mère qui personnifiait également la nature sauvage.
5. ***Bacchus*** (Dionysos, chez les Grecs) : dieu du vin et du théâtre, parfois représenté sur un char tiré par des tigres ou des panthères.
6. ***Firmus*** : usurpateur qui se fit proclamer empereur de Rome pour quelques mois en 273.
7. ***Sa suite*** : les gens qui l'accompagnent quand il est en déplacement, ses domestiques.

Le conseil qu'Isocrate donne à son roi ne me semble sans raison : Qu'il soit splendide en meubles et ustensiles, d'autant que c'est une dépense de durée, qui passe jusqu'à ses successeurs ; et qu'il fuie toutes magnificences qui s'écoulent incontinent [1] et de l'usage et de la mémoire.

J'aimais à me parer, quand j'étais cadet, à faute d'autre parure, et me seyait bien [2] ; il en est sur qui les belles robes pleurent. Nous avons des contes merveilleux de la frugalité de nos rois autour de leur personne et en leurs dons ; grands rois en crédit, en valeur et en fortune. Demosthenes combat à outrance la loi de sa ville qui assignait les deniers publics aux pompes des jeux et de leurs fêtes ; il veut que leur grandeur se montre en quantité de vaisseaux bien équipés et bonnes armées bien fournies.

Et a l'on raison d'accuser Theophrastus d'avoir établi, en son livre des richesses, un avis contraire, et maintenu telle nature de dépense être le vrai fruit de l'opulence. Ce sont plaisirs, dit Aristote, qui ne touchent que la plus basse commune [3], qui s'évanouissent de mémoire aussitôt qu'on en est rassasié et desquels nul homme judicieux et grave ne peut faire estime. L'emplette [4] me semblerait bien plus royale comme plus utile, juste et durable en ports, en havres, fortifications et murs, en bâtiments somptueux, en églises, hôpitaux, collèges,

1. ***Incontinent*** : sans tarder.
2. ***Et me seyait bien*** : et cela m'allait bien.
3. ***La plus basse commune*** : le plus bas peuple.
4. ***L'emplette*** : la dépense.

Le conseil qu'Isocrate [1] donne à son roi ne me semble pas dépourvu de raison : « Qu'il brille par les meubles et ses ustensiles, parce que ce sont des dépenses faites pour durer, qui se transmettent à ses successeurs ; et qu'il fuie toutes les magnifi-
160 cences qui disparaissent aussitôt de l'usage et du souvenir [2]. »

J'aimais les beaux vêtements quand j'étais jeune, faute d'autre parure, et cela m'allait bien ; il y a des gens sur qui les beaux costumes font grise mine. On connaît des histoires étonnantes sur la frugalité de nos rois quant à leur personne et à leurs dons :
165 c'étaient de grands rois par le prestige, la valeur et le destin. Démosthène [3] combat à toute force la loi de sa ville qui fait dépenser l'argent public dans la pompe des jeux et des fêtes ; il veut que la grandeur des Athéniens se montre par le nombre de vaisseaux bien équipés et de bonnes armées bien pourvues.

170 Et l'on a raison de reprocher à Théophraste [4] d'avoir avancé un avis contraire dans son livre *Des richesses*, et d'avoir soutenu que ce genre de dépenses est le vrai fruit de l'opulence. Ce sont des plaisirs, dit Aristote, qui ne concernent que le plus bas peuple, qui s'évanouissent de la mémoire dès qu'on en est rassa-
175 sié, et auxquels aucun homme sérieux et raisonnable ne peut accorder de prix. L'emploi de ces dépenses me semblerait à la fois bien plus royal et plus utile, plus juste et plus durable, si elles allaient dans des ports, dans des havres [5], dans des fortifications et des murs, dans des bâtiments somptueux, dans des
180 églises, des hôpitaux, des collèges, dans la remise en état des

---

1. ***Isocrate*** (436-338 av. J.-C.) : orateur athénien, auteur d'œuvres politiques et morales.
2. Isocrate, *Discours à Nicoclès*, VI, 19.
3. ***Démosthène*** (384-322 av. J.-C.) : orateur athénien, champion de la résistance d'Athènes à Philippe II de Macédoine (v. 382-336 av. J.-C.). L'épisode est peut-être évoqué dans sa *Troisième olynthienne*.
4. ***Théophraste*** (v. 371-288 av. J.-C.) : philosophe grec, successeur d'Aristote à la tête du Lycée (voir note 5, p. 53).
5. ***Havres*** : ports artificiels.

170 réformation [1] de rues et chemins. En quoi le pape Grégoire treizième a laissé sa mémoire recommandable de mon temps, et en quoi notre reine Catherine témoignerait à longues années sa libéralité naturelle et munificence, si ses moyens suffisaient à son affection. La fortune m'a fait grand déplaisir d'inter-
175 rompre la belle structure du Pont-neuf de notre grande ville et m'ôter l'espoir avant de mourir d'en voir en train l'usage.

Outre ce, il semble aux sujets, spectateurs de ces triomphes, qu'on leur fait montre de leurs propres richesses et qu'on les festoie à leurs dépens. Car les peuples présument volontiers des
180 rois, comme nous faisons de nos valets, qu'ils doivent prendre soin de nous apprêter en abondance tout ce qu'il nous faut, mais qu'ils n'y doivent aucunement toucher de leur part. Et pourtant l'empereur Galba, ayant pris plaisir à un musicien pendant son souper, se fit apporter sa boîte [2] et lui donna en sa
185 main une poignée d'écus qu'il y pêcha avec ces paroles : Ce n'est pas du public, c'est du mien. Tant y a qu'il advient le plus souvent que le peuple a raison, et qu'on repaît ses yeux de ce de quoi il avait à paître son ventre. La libéralité même n'est pas bien en son lustre [3] en mains souveraines ; les privés [4] y ont
190 plus de droit ; car, à le prendre exactement, un roi n'a rien proprement sien ; il se doit soi-même à autrui.

La juridiction ne se donne point en faveur du juridiciant, c'est en faveur du juridicié. On fait un supérieur, non jamais

---

1. ***Réformation*** : rénovation.
2. ***Boîte*** : caisse.
3. ***En son lustre*** : en son jour véritable, avec tout son éclat.
4. ***Privés*** : particuliers.

rues et des chemins. C'est de cette manière que, de mon temps, le pape Grégoire XIII [1] a laissé de lui un souvenir estimable, et c'est de cette manière que notre reine Catherine [2] témoignerait pour de longues années de sa générosité naturelle et de sa munificence [3], si ses moyens suffisaient à ses désirs. Le destin m'a bien déçu en interrompant la belle construction du Pont-Neuf dans notre grande ville [4], et en m'ôtant l'espoir de le voir en service avant de mourir.

En outre, il semble aux sujets, spectateurs de ces triomphes, qu'on leur expose leurs propres richesses et qu'on leur donne des fêtes à leurs dépens. Car les peuples, en général, attendent des rois ce que nous attendons de nos valets : qu'ils s'appliquent à nous procurer en abondance tout ce qu'il nous faut, mais qu'ils n'y prennent nullement leur part. Ainsi l'empereur Galba [5], ayant apprécié un musicien pendant son dîner, se fit apporter sa caisse et mit dans sa main une poignée d'écus qu'il y puisa en disant : « Ce n'est pas de l'argent public, mais le mien. » Toujours est-il qu'il arrive le plus souvent que le peuple a raison, et qu'on repaît ses yeux de ce dont il fallait repaître son ventre. La générosité elle-même n'est pas bien à sa place entre les mains des souverains ; les personnes privées ont plus de droit à en user, car, si on y regarde de près, un roi n'a rien qui lui appartienne en propre ; il se doit lui-même aux autres.

La justice n'est pas rendue en faveur de celui qui juge, mais en faveur de celui qui est jugé. Le supérieur n'est pas destiné à

1. ***Grégoire XIII*** (1502-1585) : pape de 1572 à 1585, il réforma le calendrier et fit entreprendre d'importants travaux au Vatican ; Montaigne le rencontra en 1580 lors de son voyage à Rome.
2. ***Catherine de Médicis*** (1519-1589) : reine mère ; elle gouverna le royaume de France jusqu'à la majorité de son fils, Charles IX.
3. ***Munificence*** : grandeur généreuse.
4. ***Grande ville*** : il s'agit de Paris ; le Pont-Neuf, à l'ouest de l'île de la Cité, fut achevé en 1608.
5. ***Galba*** (3-69) : empereur romain ; durant son règne éphémère (68-69), il assainit les finances publiques, au prix de mesures impopulaires.

pour son profit, ains pour le profit de l'inferieur, et un médecin
195 pour le malade, non pour soi. Toute magistrature, comme tout art, jette sa fin hors d'elle : *nulla ars in se versatur*.

Par quoi les gouverneurs de l'enfance des princes, qui se piquent à leur imprimer cette vertu de largesse, et les prêchent de ne savoir rien refuser et n'estimer rien si bien employé que
200 ce qu'ils donneront (instruction que j'ai vue en mon temps fort en crédit), ou ils regardent plus à leur profit qu'à celui de leur maître, ou ils entendent mal à qui ils parlent. Il est trop aisé d'imprimer la libéralité en celui qui a de quoi y fournir autant qu'il veut, aux dépens d'autrui. Et son estimation se réglant
205 non à la mesure du présent, mais à la mesure des moyens de celui qui l'exerce, elle vient à être vaine en mains si puissantes. Ils se trouvent prodigues avant qu'ils soient libéraux. Pourtant est-elle de peu de recommandation, au prix d'autres vertus royales, et la seule, comme disait le tyran Dionysius,
210 qui se comporte bien avec la tyrannie même. Je lui apprendrai plutôt ce verset du laboureur ancien :

Τῇ χειρὶ δεῖ σπείρειν, ἀλλὰ μὴ ὅλῳ τῷ θυλακῷ

qu'il faut, à qui en veut retirer fruit, semer de la main, non pas verser du sac (il faut épandre le grain, non pas le répandre) ;
215 et qu'ayant à donner ou, pour mieux dire, à payer et rendre à tant de gens selon qu'ils l'ont desservi [1], il en doit être loyal

1. ***Desservi*** : mérité.

son propre profit, mais au profit de l'inférieur, et un médecin est destiné au malade, non à lui-même. Toute magistrature, comme tout art, poursuit une fin qui lui est extérieure : « nul art n'est enfermé en lui-même [1] ».

210 C'est pourquoi les précepteurs des jeunes princes, qui mettent un point d'honneur à leur inculquer cette vertu de largesse [2], et leur apprennent à ne savoir rien refuser et à estimer que rien n'est si bien employé que ce qu'ils vont donner (précepte que j'ai vu très en vogue de mon temps), ou bien visent plus leur profit que 215 celui de leur maître, ou bien n'ont pas une idée claire de la personne à laquelle ils s'adressent. Il est trop facile d'inculquer la générosité à celui qui a de quoi s'y adonner autant qu'il veut, aux dépens des autres. Et comme la générosité ne s'évalue pas d'après le don que l'on fait, mais d'après les moyens de celui qui 220 le fait, elle en vient à être nulle entre des mains si puissantes, qui sont alors dépensières, plutôt que généreuses. C'est pourquoi la générosité est une vertu peu glorieuse en comparaison d'autres vertus royales, et c'est la seule, comme disait le tyran Denys [3], qui s'accorde bien avec la tyrannie elle-même. J'enseignerai 225 plutôt au prince ce vers du laboureur antique :

Il faut semer avec la main, et non à plein sac [4],

il faut que celui qui veut tirer profit sème de la main, au lieu de verser du sac (il faut épandre [5] le grain, non pas le répandre [6]) ; et qu'ayant à donner ou, pour mieux dire, à payer et à restituer 230 à tant de gens les services qu'ils lui ont rendus, il doit dépenser

1. Cicéron, *Des termes extrêmes des biens et des maux*, V, 6.
2. ***Largesse*** : générosité, prodigalité.
3. ***Denys l'Ancien*** (431-367 av. J.-C.) : célèbre tyran de Sicile.
4. Vers de Corinne, poétesse grecque du Ve siècle av. J.-C.
5. ***Épandre*** : éparpiller, disséminer.
6. ***Répandre*** : verser sans retenue.

et avisé dispensateur. Si la libéralité d'un prince est sans discrétion [1] et sans mesure, je l'aime mieux avare.

La vertu royale semble consister le plus en la justice ; et de 220 toutes les parties de la justice, celle-là remarque mieux les rois qui accompagne la libéralité ; car ils l'ont particulièrement réservée à leur charge, là où toute autre justice, ils l'exercent volontiers par l'entremise d'autrui. L'immodérée largesse est un moyen faible à leur acquérir bienveillance ; car elle rebute 225 plus de gens qu'elle n'en pratique [2] : *Quo in plures usus sis, minus in multos uti possis. Quid autem est stultius quam quod libenter facias, curare ut id diutius facere non possis ?* Et, si elle est employée sans respect du mérite, fait vergogne à qui la reçoit ; et se reçoit sans grâce [3]. Des tyrans ont été sacrifiés 230 à la haine du peuple par les mains de ceux même lesquels ils avaient iniquement avancés, telle manière d'hommes estimant assurer la possession des biens indûment reçus en montrant avoir à mépris et haine celui de qui ils les tenaient, et se ralliant au jugement et opinion commune en cela.

235 Les sujets d'un prince excessif en dons se rendent excessifs en demandes ; ils se taillent non à la raison, mais à l'exemple. Il y a certes souvent de quoi rougir de notre impudence ; nous sommes surpayés selon justice quand la récompense égale notre service, car n'en devons-nous rien à nos princes d'obli- 240 gation naturelle ? S'il porte notre dépense, il fait trop ; c'est assez qu'il l'aide ; le surplus s'appelle bienfait, lequel ne se peut exiger, car le nom même de libéralité sonne liberté. À notre mode, ce n'est jamais fait ; le reçu ne se met plus en compte ; on n'aime la libéralité que future : par quoi plus

---

1. ***Discrétion*** : discernement, modération.
2. ***Qu'elle n'en pratique*** : qu'elle n'en rend favorables, qu'elle n'en gagne à sa cause.
3. ***Grâce*** : reconnaissance.

de manière loyale et avisée. Si la générosité d'un prince est sans discernement et sans mesure, je préfère qu'il soit avare.

La vertu royale semble consister avant tout en la justice ; et de toutes les parties de la justice, celle qui distingue le mieux les 235 rois est celle qui accompagne la générosité ; car elle est particulièrement réservée à leur fonction, alors qu'ils exercent toute autre forme de justice par l'entremise d'autrui. La largesse immodérée leur est un moyen médiocre de s'acquérir la bienveillance des autres, car elle rebute plus de gens qu'elle n'en séduit : « Plus 240 on l'a exercée, moins on peut l'exercer. Or qu'y a-t-il de plus sot que de se mettre dans l'impuissance de faire longtemps ce que l'on fait avec plaisir [1] ? » En outre, elle fait honte à celui qui la reçoit si elle est employée sans égard pour son mérite ; et elle se reçoit sans gratitude. Des tyrans ont été sacrifiés à la haine du 245 peuple par les mains de ceux-là mêmes qu'ils avaient injustement favorisés, car des hommes de ce genre estimaient qu'ils s'assureraient la possession des biens indûment reçus en montrant de la haine et du mépris pour celui dont ils les avaient reçus, se ralliant sur ce point au jugement et à l'opinion du peuple.

250 Les sujets d'un prince excessif dans ses dons se rendent excessifs dans leurs demandes ; ils se conforment non à la raison, mais à l'exemple qu'on leur donne. Il y a certes souvent de quoi rougir de notre impudence ; nous sommes, en toute justice, trop payés quand la récompense équivaut à notre service, car n'en devons-255 nous pas une part à nos princes, en vertu de nos obligations naturelles envers eux ? S'il [2] prend en charge notre dépense, il en fait trop ; il suffit qu'il y contribue ; le surplus s'appelle bienfait, et c'est une chose que l'on ne peut exiger, car le mot même de générosité rime avec liberté. À notre goût, ce n'est jamais 260 assez ; on ne prend pas en compte ce que l'on a reçu ; on n'aime la générosité qu'au futur ; c'est pourquoi plus un prince s'épuise

1. Cicéron, *Des devoirs*, II, 15.
2. ***Il*** : le prince.

245 un prince s'épuise en donnant, plus il s'appauvrit d'amis. Comment assouvirait-il des envies qui croissent à mesure qu'elles se remplissent ? Qui a sa pensée à prendre, ne l'a plus à ce qu'il a pris. La convoitise n'a rien si propre que d'être ingrate. L'exemple de Cyrus ne duira [1] pas mal en ce lieu pour
250 servir aux rois de ce temps de touche [2] à reconnaître leurs dons bien ou mal employés, et leur faire voir combien cet empereur les assenait [3] plus heureusement qu'ils ne font. Par où ils sont réduits de faire leurs emprunts sur les sujets inconnus, et plutôt sur ceux à qui ils ont fait du mal que sur ceux à
255 qui ils ont fait du bien ; et n'en reçoivent aides où il y ait rien de gratuit que le nom. Crésus lui reprochait sa largesse et calculait à combien se monterait son trésor, s'il eût eu les mains plus restreintes. Il eut envie de justifier sa libéralité ; et, dépêchant de toutes parts vers les grands de son État, qu'il
260 avait particulièrement avancés, pria chacun de le secourir d'autant d'argent qu'il pourrait à une sienne nécessité, et le lui envoyer par déclaration. Quand tous ces bordereaux lui furent apportés, chacun de ses amis, n'estimant pas que ce fut assez faire de lui en offrir autant seulement qu'il en avait reçu
265 de sa munificence, y en mêlant du sien plus propre beaucoup, il se trouva que cette somme se montait bien plus que l'épargne de Crésus. Sur quoi lui dit Cyrus : Je ne suis pas moins amoureux des richesses que les autres princes et en suis plutôt plus ménager [4]. Vous voyez à combien peu de mise [5]
270 j'ai acquis le trésor inestimable de tant d'amis ; et combien ils

1. ***Duira*** : conviendra.
2. ***Touche*** : pierre de touche, critérium.
3. ***Assenait*** : attribuait.
4. ***Ménager*** : économe.
5. ***Mise*** : dépense.

à donner, plus il s'appauvrit en amis. Comment assouvirait-il des envies qui croissent au fur et à mesure qu'elles se remplissent ? Qui pense à prendre ne pense plus à ce qu'il a pris. Le trait le
265 plus distinctif de la convoitise est d'être ingrate. L'exemple de Cyrus [1] ne conviendra pas mal ici pour servir de pierre de touche [2] aux rois d'aujourd'hui, pour reconnaître si leurs dons sont bien ou mal employés et pour leur faire voir combien cet empereur les attribuait avec plus de bonheur qu'ils ne le font eux-
270 mêmes, au point qu'ils sont réduits à emprunter leur argent à des sujets inconnus, et plutôt à ceux à qui ils ont fait du mal qu'à ceux à qui ils ont fait du bien ; et les aides qu'ils en reçoivent n'ont de gratuites que le nom. Crésus [3] reprochait à Cyrus ses largesses et calculait à combien se monterait son trésor s'il avait
275 eu les mains plus fermées. Cyrus eut envie de se justifier de sa générosité ; écrivant à tous les grands seigneurs de son empire qu'il avait particulièrement favorisés, il pria chacun de le secourir pour un besoin urgent par la plus grosse somme d'argent possible, et de lui envoyer une déclaration écrite de cette aide.
280 Quand tous ces engagements lui furent apportés, chacun de ses amis, estimant qu'il ne suffisait pas de lui offrir seulement l'équivalent de ce qu'il avait reçu de sa munificence et y ajoutant beaucoup en prenant sur sa fortune personnelle, il se trouva que le montant total de cet argent dépassait largement l'épargne calcu-
285 lée par Crésus. Sur quoi Cyrus lui dit : « Je ne suis pas moins amoureux des richesses que les autres princes, et j'en suis plutôt plus économe. Vous voyez avec quelle faible mise j'ai acquis le trésor inestimable de tant d'amis ; et combien ils sont pour moi

---

1. ***Cyrus II*** (v. 600-530 av. J.-C.) : dit « le Grand », fondateur de l'Empire perse.
2. ***Pierre de touche*** : test.
3. ***Crésus*** (v. 561-546 av. J.-C.) : roi de Lydie, dans l'actuelle Turquie. Son royaume fut conquis par Cyrus, mais au lieu de le tuer, le vainqueur le prit pour conseiller.

me sont plus fidèles trésoriers que ne seraient des hommes mercenaires sans obligation, sans affection, et ma chevance [1] mieux logée qu'en des coffres, appelant sur moi la haine, l'envie et le mépris des autres princes.

275 Les empereurs tiraient excuse à la superfluité de leurs jeux et montres [2] publiques, de ce que leur autorité dépendait aucunement (au moins par apparence) de la volonté [3] du peuple romain, lequel avait de tout temps accoutumé d'être flatté par telle sorte de spectacles et excès. Mais c'étaient parti-280 culiers qui avaient nourri cette coutume de gratifier leurs concitoyens et compagnons principalement sur leur bourse par telle profusion et magnificence : elle eut tout autre goût quand ce furent les maîtres qui vinrent à l'imiter. « *Pecuniarum translatio a justis dominis ad alienos non debet liberalis* 285 *videri.* » Philippus, de ce que son fils essayait par présent de gagner la volonté des Macédoniens, l'en tança par une lettre en cette manière : Quoi ? as-tu envie que tes sujets te tiennent pour leur boursier, non pour leur roi ? Veux-tu les pratiquer ? pratique-les des bienfaits de ta vertu, non des bienfaits de 290 ton coffre.

C'était pourtant une belle chose d'aller faire apporter et planter en la place aux arènes une grande quantité de gros arbres, tous branchus et tous verts, représentant une grande forêt ombrageuse, départie [4] en belle symétrie, et, le premier 295 jour, jeter là-dedans mille autruches, mille cerfs, mille sangliers et mille daims, les abandonnant à piller au peuple ; le lendemain, faire assommer en sa présence cent gros lions,

1. ***Ma chevance*** : mon bien.
2. ***Montres*** : démonstrations.
3. ***La volonté*** : la bienveillance, l'affection.
4. ***Départie*** : distribuée.

des trésoriers plus fidèles que ne seraient des mercenaires sans
290 obligation, sans affection envers moi, et que ma fortune est en lieu plus sûr que dans des coffres, où elle m'attirerait la haine, l'envie et le mépris des autres princes. »

Les empereurs [1] se justifiaient du caractère superficiel de leurs jeux et de leurs spectacles publics en alléguant que leur autorité
295 dépendait en quelque sorte (au moins en apparence) de la volonté du peuple romain, qui avait toujours eu l'habitude d'être flatté par ce genre de spectacles et d'excès. Mais c'étaient des citoyens privés qui avaient créé et entretenu cette habitude de faire plaisir à leurs concitoyens et à leurs compagnons avec une
300 telle profusion et somptuosité, en prélevant principalement sur leur propre bourse : la coutume prit un goût bien différent quand ce furent les maîtres qui se mirent à l'imiter. « Prendre de l'argent à ses possesseurs légitimes pour le donner à des étrangers ne doit pas être vu comme de la générosité [2]. » Philippe [3], voyant que
305 son fils essayait de gagner les bonnes grâces des Macédoniens en leur faisant des cadeaux, lui en fit reproche dans une lettre ainsi conçue : « Quoi ? As-tu envie que tes sujets te prennent pour leur banquier, et non leur roi ? Veux-tu gagner leur faveur ? Gagne-la par les bienfaits de ta valeur, non par les bienfaits de ton coffre. »

310 C'était pourtant une belle chose que de faire apporter et planter dans les arènes [4] une grande quantité de gros arbres, bien touffus et bien verts, pour représenter une grande forêt ombreuse, arrangée selon une belle symétrie, et, le premier jour, de lâcher là-dedans mille autruches, mille cerfs, mille sangliers
315 et mille daims, en les abandonnant aux mains du peuple ; le lendemain, de faire abattre en sa présence cent gros lions, cent

---

1. ***Les empereurs*** : les empereurs de Rome.
2. Cicéron, *Des devoirs*, I, 14.
3. ***Philippe II*** (382-336 av. J.-C.) : roi de Macédoine, père d'Alexandre le Grand (356-323 av. J.-C.).
4. ***Les arènes*** : l'amphithéâtre de Rome, appelé *Circus Maximus*.

cent léopards et trois cents ours, et, pour le troisième jour, faire combattre à outrance trois cents paires de gladiateurs,
300 comme fit l'empereur Probus. C'était aussi belle chose à voir ces grands amphithéâtres encroûtés [1] de marbre au dehors, labouré [2] d'ouvrages et statues, le dedans reluisant de plusieurs rares enrichissements,

Baltheus en gemmis, en illita porticus auro ;

305 tous les côtés de ce grand vide [3] remplis et environnés, depuis le fond jusqu'au comble, de soixante ou quatre-vingts rangs d'échelons [4], aussi de marbre, couverts de carreaux [5],

[...] exeat, inquit,
Si pudor est, et de pulvino surgat equestri,
310 *Cujus res legi non sufficit ;*

où se peut ranger cent mille hommes assis à leur aise ; et la place du fond, où les jeux se jouaient, la faire premièrement, par art, entrouvrir et fendre en crevasses représentant des antres qui vomissaient les bêtes destinées au spectacle ; et
315 puis, secondement, l'inonder d'une mer profonde, qui charriait force monstres marins, chargée de vaisseaux armés à représenter une bataille navale ; et, tiercement, l'aplanir et assécher de nouveau pour le combat des gladiateurs ; et, pour

1. ***Encroûtés*** : incrustés en profondeur.
2. ***Labouré*** : travaillé, orné.
3. ***Vide*** : espace.
4. ***D'échelons*** : de gradins.
5. ***Carreaux*** : coussins.

léopards, et trois cents ours et, pour le troisième jour, de faire combattre à mort trois cents paires de gladiateurs, comme le fit l'empereur Probus [1]. C'était aussi une belle chose à voir que ces grands amphithéâtres incrustés de marbres à l'extérieur, décorés d'ouvrages et de statues, l'intérieur resplendissant çà et là de précieux enrichissements,

Voici le pourtour du théâtre orné de pierres précieuses, voici le portique tout reluisant d'or [2] *;*

tous les côtés de ce grand espace remplis et entourés, de la fosse jusqu'aux combles, de soixante ou quatre-vingts rangs de gradins, eux aussi en marbre, et couverts de coussins,

[...] qu'il sorte, dit-il,
Un peu de pudeur ! Qu'il quitte le coussin réservé aux chevaliers,
Lui qui ne paie pas l'impôt légal [3],

des gradins où l'on peut ranger cent mille hommes assis à leur aise ; et l'espace de la fosse, où se déroulaient les jeux, c'était une belle chose que de la faire d'abord, par des artifices, s'entrouvrir et se fendre en crevasses représentant des grottes vomissant les bêtes destinées au spectacle ; puis, en second lieu, de l'inonder d'une mer profonde, qui charriait quantité de monstres marins et portait des vaisseaux tout armés, pour représenter une bataille navale ; et troisièmement, de l'aplanir et de l'assécher de nouveau pour le combat des gladiateurs ; et, pour la quatrième

---

1. ***Probus*** (232-282) : empereur romain qui était très populaire.
2. Calpurnius Siculus, *Églogues*, VII, 47.
3. Juvénal, *Satires*, III, v. 153-155. À Rome, les chevaliers formaient la classe des citoyens riches ; ils payaient un impôt lourd et jouissaient en retour de certains privilèges.

la quatrième façon, la sabler de vermillon et de storax, au lieu
320 d'arène, pour y dresser un festin solemne[1] à tout ce nombre infini de peuple, le dernier acte d'un seul jour ;

[...] quoties nos descendentis arenæ
Vidimus in partes, ruptaque voragine terræ
Emersisse feras, et iisdem sæpe latebris
325 *Aurea cum croceo creverunt arbuta libro.*
Nec solum nobis silvestria cernere monstra
Contigit, æquoreos ego cum certantibus ursis
Spectavi vitulos, et equorum nomine dignum,
Sed deforme pecus.

330 Quelquefois on y a fait naître une haute montagne pleine de fruitiers[2] et arbres verdoyants, rendant par son faîte un ruisseau d'eau, comme de la bouche d'une vive fontaine. Quelquefois on y promena un grand navire qui s'ouvrait et déprenait de soi-même et, après avoir vomi de son ventre
335 quatre ou cinq cents bêtes à combat, se resserrait et s'évanouissait sans aide. Autrefois, du bas de cette place, ils faisaient élancer des surgeons[3] et filets d'eau qui rejaillissaient contremont[4] et, à cette hauteur infinie, allaient arrosant et embaumant cette infinie multitude. Pour se couvrir[5] de
340 l'injure du temps, ils faisaient tendre cette immense capacité tantôt de voiles de pourpre labourés à l'aiguille, tantôt de soie d'une ou autre couleur, et les avançaient et retiraient en un moment, comme il leur venait en fantaisie :

1. ***Solemne*** : solennel, magnifique.
2. ***De fruitiers*** : d'arbres fruitiers.
3. ***Surgeons*** : sources.
4. ***Contremont*** : en l'air.
5. ***Se couvrir*** : se garantir, se protéger.

transformation, de la recouvrir de vermillon [1] et de storax [2], au lieu de sable, afin d'y organiser un festin grandiose pour ce nombre infini de gens, dernier acte d'une seule journée ;

[...] que de fois avons-nous vu s'abaisser
345 *Des pans entiers de l'arène, et du gouffre entrouvert*
Surgir les bêtes féroces, et, dans ces profondeurs,
Croître des arbres d'or à l'écorce de safran !
J'ai pu voir non seulement les monstres des forêts,
J'ai vu aussi des phoques luttant contre des ours,
350 *Et un troupeau hideux d'animaux qui n'avaient*
De chevaux que le nom [3].

Quelquefois on y a fait naître une haute montagne pleine d'arbres fruitiers et verdoyants, avec un ruisseau qui s'écoulait de son sommet, comme de la bouche d'une source vive. Quelque-
355 fois on y promena un grand navire qui s'ouvrait et se désarticulait de lui-même et, après avoir vomi de son ventre quatre ou cinq cents bêtes de combat, se refermait et s'évanouissait, sans assistance. Une autre fois, depuis le bas, ils faisaient s'élancer de petites sources et des filets d'eau qui rejaillissaient en l'air et,
360 depuis une hauteur incroyable, allaient arroser et embaumer cette foule innombrable. Pour se protéger des intempéries, ils faisaient couvrir cet immense espace, tantôt de voiles de pourpre brodés à l'aiguille, tantôt de soie de diverses couleurs, et ils les faisaient avancer ou reculer en un instant, selon leur fantaisie :

1. ***Vermillon*** : poudre fine d'un rouge éclatant.
2. ***Storax*** : résine aromatique.
3. Calpurnius Siculus, *Églogues*, VII, v. 64-72 ; Montaigne cite les vers latins très librement.

Quamvis non modico caleant spectacula sole,
345 *Vela reducuntur, cum venit Hermogenes.*

Les rets aussi qu'on mettait au-devant du peuple, pour le défendre de la violence de ces bêtes élancées, étaient tissés d'or :

[…] auro quoque torta refulgent
350 *Retia.*

S'il y a quelque chose qui soit excusable en tels excès, c'est où l'invention et la nouveauté fournit d'admiration, non pas la dépense. En ces vanités mêmes nous découvrons combien ces siècles étaient fertiles d'autres esprits que ne sont
355 les nôtres. Il va de cette sorte de fertilité comme il fait [1] de toutes autres productions de la nature. Ce n'est pas à dire qu'elle y ait lors employé son dernier effort. Nous n'allons point, nous rôdons [2] plutôt, et tournoyons çà et là. Nous nous promenons sur nos pas. Je crains que notre connaissance soit
360 faible en tous sens, nous ne voyons ni guère loin, ni guère arrière ; elle embrasse peu et vit peu, courte et en étendue de temps et en étendue de matière :

Vixere fortes ante Agamemnona
Multi, sed omnes illachrimabiles
365 *Urgentur ignotique longa*
Nocte.

Et supera bellum Trojanum et funera Trojæ,
Multi alias alii quoque res cecinere poetæ.

---

1. ***Comme il fait*** : comme il en va.
2. ***Nous rôdons*** : nous tournons en rond (du latin *rotare*).

365 *Bien qu'un soleil ardent brûle l'amphithéâtre*
On retire les voiles dès qu'arrive Hermogène [1].

De même, les filets que l'on mettait au-devant du peuple, pour le protéger de la violence de ces bêtes sauvages qui s'élançaient, étaient cousus d'or :

370 *Les rets mêmes brillent de l'or dont ils sont tissés* [2].

S'il y a quelque chose qui soit excusable dans de tels excès, c'est lorsque l'ingéniosité et la nouveauté, et non la dépense, forcent l'admiration. Dans ces vanités mêmes nous découvrons combien ces siècles étaient fertiles en esprits différents des nôtres. 375 Il en est de cette sorte de fertilité comme de toutes les autres productions de la nature. Cela ne veut pas dire qu'elle y ait mis alors tout ce dont elle était capable. Nous n'allons pas de l'avant, nous rôdons plutôt, et tournons en rond, çà et là. Nous nous promenons en revenant sur nos pas. Je crains que notre connais- 380 sance soit faible à tous égards, nous ne voyons pas bien loin, ni devant ni derrière ; elle n'embrasse que peu de chose, et elle a la vie courte ; elle couvre une faible étendue de temps comme de matière :

Bien des héros vécurent avant Agamemnon,
385 *Mais nous n'en pleurons guère : ils sont dissimulés,*
Sous une nuit profonde [3].

Aussi, avant la guerre et la ruine de Troie,
Bien d'autres poètes ont chanté d'autres exploits [4].

1. Martial, *Épigrammes*, XII, 29, v. 15-16.
2. Calpurnius Siculus, *Églogues*, VII, v. 53-54. Les *rets* sont des filets.
3. Horace, *Odes*, IV, 9, v. 25-28.
4. Lucrèce, *De la nature*, V, v. 326-327 ; Montaigne modifie les vers latins.

Et la narration de Solon, sur ce qu'il avait appris des prêtres
370 d'Égypte de la longue vie de leur état et manière d'apprendre et conserver les histoires étrangères, ne me semble témoignage de refus [1] en cette considération. *Si interminatam in omnes partes magnitudinem regionum videremus et temporum, in quam se injiciens animus et intendens ita late longeque pere-*
375 *grinatur ut nullam oram ultimi videat in qua possit insistere : in hac immensitate infinita vis innumerabilium appareret formarum.*

Quand tout ce qui est venu par rapport du passé jusqu'à nous serait vrai et serait su par quelqu'un, ce serait moins que
380 rien au prix de ce qui est ignoré. Et de cette même image du monde qui coule pendant que nous y sommes, combien chétive et raccourcie est la connaissance des plus curieux ! Non seulement des événements particuliers que fortune rend souvent exemplaires et pesants [2], mais de l'état des grandes
385 polices et nations, il nous en échappe cent fois plus qu'il n'en vient à notre science. Nous nous écrions du miracle de l'invention de notre artillerie, de notre impression [3] ; d'autres hommes, un autre bout du monde à la Chine en jouissait mille ans auparavant. Si nous voyons autant du monde comme nous
390 n'en voyons pas, nous apercevrions, comme il est à croire, une perpétuelle multiplication et vicissitude de formes. Il n'y a rien de seul et de rare eu égard à nature, oui bien eu égard à notre connaissance, qui est un misérable fondement de nos règles et qui nous représente volontiers une très fausse image
395 des choses. Comme vainement nous concluons aujourd'hui l'inclination [4] et la décrépitude du monde par les arguments que nous tirons de notre propre faiblesse et décadence,

---

1. ***De refus*** : à écarter.
2. ***Pesants*** : de poids, importants.
3. ***Notre impression*** : notre imprimerie.
4. ***L'inclination*** : le déclin.

Et de ce point de vue, il ne faut pas écarter, je pense, le témoi-
390 gnage de Solon [1], qui raconte ce qu'il avait appris des prêtres d'Égypte sur la longue vie de leur État et la manière d'apprendre et de conserver les histoires venant de pays étrangers : « Si nous pouvions contempler l'immensité sans bornes de l'espace et du temps, où l'esprit, se plongeant et s'étendant de toutes parts, se
395 promène en tous sens sans jamais rencontrer une limite où il puisse s'arrêter : dans cette immensité infinie, nous apparaîtrait une multitude innombrable de formes [2]. »

Même si tout ce qui nous est parvenu du passé était vrai et connu de quelqu'un, ce serait moins que rien par rapport à ce
400 que nous ignorons. Et même la connaissance de l'apparence du monde, qui s'écoule pendant que nous y vivons, comme elle est fragile et limitée chez ceux qui en sont les plus curieux ! Qu'il s'agisse non seulement des événements particuliers que le hasard rend souvent exemplaires et considérables, mais encore de l'état
405 des grands gouvernements et des grandes nations : il nous en échappe cent fois plus qu'il n'en parvient à notre connaissance. Nous crions au miracle devant l'invention de notre artillerie, de notre imprimerie ; d'autres hommes, en Chine, à l'autre bout du monde, en jouissaient il y a déjà mille ans. Si nous voyions une
410 aussi grande partie du monde que celle que nous ne voyons pas, nous apercevrions probablement une multiplication et un changement perpétuels de formes. Dans la nature, il n'y a rien d'unique ni de rare ; cela n'est le cas que dans notre connaissance, qui constitue un fondement misérable pour nos règles et
415 qui nous donne en général une image très fausse des choses. C'est ainsi que nous concluons vainement, aujourd'hui, au déclin et à la décrépitude du monde, avec des arguments que nous tirons de notre propre faiblesse et décadence,

---

1. ***Solon*** : voir note 1, p. 49.

2. D'après Cicéron, *De la nature des dieux*, I, 20 ; Montaigne modifie beaucoup le texte.

Jamque adeo affecta est ætas, affectaque tellus ;

ainsi vainement concluait cettui-là sa naissance et jeu-
400 nesse, par la vigueur qu'il voyait aux esprits de son temps, abondance en nouvelleté et inventions de divers arts :

Verum, ut opinor, habet novitatem summa, recensque
Natura est mundi, neque pridem exordia cepit :
Quare etiam quædam nunc artes expoliuntur,
405 *Nunc etiam augescunt, nunc addita navigiis sunt*
Multa.

Notre monde vient d'en trouver un autre (et qui nous répond si c'est le dernier de ses frères, puisque les démons, les sybilles et nous, avons ignoré cettui-ci jusqu'asture [1] ?) non
410 moins grand, plein et membru [2] que lui, toutefois si nouveau et si enfant qu'on lui apprend encore son a, b, c ; il n'y a pas cinquante ans qu'il ne savait ni lettres, ni poids, ni mesure, ni vêtements, ni blé, ni vignes. Il était encore tout nu au giron, et ne vivait que des moyens de sa mère nourrice. Si nous
415 concluons bien de notre fin, et ce poète de la jeunesse de son siècle, cet autre monde ne fera qu'entrer en lumière quand le nôtre en sortira. L'univers tombera en paralysie ; l'un membre sera perclus, l'autre en vigueur. Bien crains-je que nous aurons bien fort hâté sa déclinaison et sa ruine par notre contagion,

1. ***Asture*** : à cette heure.
2. ***Membru*** : dont les membres sónt épais et forts.

Notre âge et notre terre ont perdu tant de forces[1] *!*

420 C'est tout aussi vainement que cet autre poète concluait à sa naissance et à sa jeunesse d'après la vigueur qu'il voyait dans les esprits de son temps, fertiles en nouveautés et en inventions dans divers arts :

Mais à mon avis, tout est nouveau dans ce monde,
425 *Tout est récent, et c'est depuis peu qu'il est né :*
C'est pourquoi, aujourd'hui, certains arts se raffinent
Et progressent encore ; bien des choses encore,
Ont été ajoutées aux navires[2].

Notre monde vient d'en trouver un autre (et qui nous garantit 430 que c'est le dernier de ses frères, puisque les démons[3], les sibylles[4] et nous-mêmes avons ignoré celui-ci jusqu'à présent ?) non moins grand, fourni et robuste que lui, toutefois si nouveau et si enfant qu'on lui apprend encore son alphabet ; il n'y a pas cinquante ans qu'il ne savait ni lettres, ni poids, ni mesures, ni 435 vêtements, ni céréales, ni vignes. Il était encore tout nu dans le giron de sa mère nourricière[5], et ne vivait que des ressources qu'elle lui fournissait. Si nous avons raison de penser que notre monde touche à sa fin, et ce poète[6] de penser que son siècle est encore jeune, cet autre monde ne fera qu'entrer dans la lumière 440 quand le nôtre en sortira. L'univers tombera en paralysie ; un membre sera perclus, l'autre vigoureux. Nous aurons, je le crains, très fortement hâté son déclin et sa ruine par notre contagion, et

1. Lucrèce, *De la nature*, II, v. 1136.
2. *Ibid.*, V, v. 331-335.
3. ***Démons*** : divinités antiques, malveillantes ou non.
4. ***Sibylles*** : dans l'Antiquité, prêtresses légendaires d'Apollon auxquelles on prêtait des pouvoirs de divination.
5. ***Sa mère nourricière*** : la nature.
6. ***Ce poète*** : Lucrèce (94-46 av. J.-C.), que Montaigne vient de citer.

420 et que nous lui aurons bien cher vendu nos opinions et nos arts. C'était un monde enfant ; si [1] ne l'avons-nous pas fouetté et soumis à notre discipline par l'avantage de notre valeur et forces naturelles, ni ne l'avons pratiqué par notre justice et bonté, ni subjugué par notre magnanimité. La plupart de leurs 425 réponses et des négociations faites avec eux témoignent qu'ils ne nous devaient rien en clarté d'esprit naturelle et en pertinence. L'épouvantable [2] magnificence des villes de Cusco et de Mexico et, entre plusieurs choses pareilles, le jardin de ce roi, où tous les arbres, les fruits et toutes les herbes, selon 430 l'ordre et grandeur qu'ils ont en un jardin, étaient excellemment formés en or ; comme, en son cabinet, tous les animaux qui naissaient en son état et en ses mers ; et la beauté de leurs ouvrages en pierrerie, en plume, en coton, en la peinture, montrent qu'ils ne nous cédaient non plus en l'industrie [3]. 435 Mais quant à la dévotion, observance des lois, bonté, libéralité, loyauté, franchise, il nous a bien servi de n'en avoir pas tant qu'eux ; ils se sont perdus par cet avantage, et vendus, et trahis eux-mêmes. Quant à la hardiesse et courage, quant à la fermeté, constance, résolution contre les douleurs et la faim et 440 la mort, je ne craindrais pas d'opposer les exemples que je trouverais parmi eux aux plus fameux exemples anciens que nous ayons aux mémoires de notre monde par deçà. Car, pour ceux qui les ont subjugués, qu'ils ôtent les ruses et batelages de quoi ils se sont servis à les piper, et le juste étonnement 445 qu'apportait à ces nations-là de voir arriver si inopinément des gens barbus, divers en langage, religion, en forme et en

1. ***Si*** : cependant.
2. ***Épouvantable*** : étonnante, incroyable.
3. ***Industrie*** : activité artisanale, exécution d'un ouvrage.

nous lui aurons fait payer bien cher nos idées et nos techniques. C'était un monde enfant ; mais nous ne l'avons pas corrigé ni 445 soumis à nos règles en nous servant de l'avantage de notre valeur et de nos forces naturelles, nous ne l'avons pas non plus séduit par notre justice et notre bonté, ni subjugué par notre magnanimité [1]. La plupart des réponses qu'ils nous firent et des négociations qu'on eut avec eux prouvent qu'ils n'avaient rien à nous 450 envier pour la clairvoyance naturelle de l'esprit et la pertinence du jugement. La splendeur ahurissante des villes de Cusco [2] et de Mexico et, parmi plusieurs choses similaires, le jardin de ce roi où tous les arbres, les fruits et toutes les herbes, selon l'ordre et la grandeur qu'ils ont normalement dans un jardin, étaient par- 455 faitement reproduits en or ; ainsi que l'étaient, dans son musée, tous les animaux qui naissaient dans son pays et dans ses mers ; et la beauté de leurs ouvrages de pierreries, de plumes, de coton, la beauté de leur peinture montrent qu'ils ne valaient pas moins que nous en savoir-faire. Mais quant à la piété, au respect des 460 lois, à la bonté, la libéralité, la loyauté, la franchise, il nous a été bien utile de ne pas en avoir autant qu'eux : par cet avantage qu'ils avaient sur nous, ils se sont perdus, et vendus, et trahis eux-mêmes. Quant à la hardiesse et au courage, quant à la fermeté, à la constance, à la résolution contre les douleurs, la faim 465 et la mort, je ne craindrais pas de confronter les exemples que je trouverais chez eux aux plus fameux exemples de l'Antiquité que l'on retrouve dans les histoires de notre monde. Car que ceux qui les ont subjugués suppriment les ruses et les tours de passe-passe dont ils se sont servis pour les tromper, ainsi que la stupeur 470 légitime qui saisit ces peuples quand ils virent arriver de manière si imprévue des gens barbus, différents d'eux par le langage, la

1. ***Magnanimité*** : grandeur d'âme, noblesse.
2. ***Cusco*** (ou Cuzco) : ville du Pérou située à trois mille quatre cents mètres d'altitude, capitale des Incas au moment de la conquête espagnole.

contenance, d'un endroit du monde si éloigné et où ils n'avaient jamais imaginé qu'il y eût habitation quelconque, montés sur des grands monstres inconnus, contre ceux qui
450 n'avaient non seulement jamais vu de cheval, mais bête quelconque duite à porter et soutenir homme ni autre charge ; garnis d'une peau luisante et dure et d'une arme tranchante et resplendissante, contre ceux qui, pour le miracle de la lueur d'un miroir ou d'un couteau, allaient échangeant une grande
455 richesse en or et en perles, et qui n'avaient ni science ni matière par où tout à loisir ils sussent percer notre acier ; ajoutez-y les foudres et tonnerres de nos pièces et arquebuses, capables de troubler César même, qui [1] l'en eût surpris autant inexpérimenté, et à cette heure, contre des peuples nus, si ce
460 n'est où l'invention était arrivée de quelque tissu de coton, sans autres armes pour le plus que d'arcs, pierres, bâtons et boucliers de bois ; des peuples surpris, sous couleur d'amitié et de bonne foi, par la curiosité de voir des choses étrangères et inconnues : contez, dis-je, aux conquérants cette disparité,
465 vous leur ôtez toute l'occasion de tant de victoires. Quand je regarde cette ardeur indomptable de quoi tant de milliers d'hommes, femmes et enfants, se présentent et rejettent à tant de fois aux dangers inévitables pour la défense de leurs dieux et de leur liberté ; cette généreuse obstination de souffrir toutes
470 extrémités et difficultés, et la mort, plus volontiers que de se soumettre à la domination de ceux de qui ils ont été si honteusement abusés, et aucuns choisissant plutôt de se laisser défaillir par faim et par jeûne, étant pris, que d'accepter le

1. ***Qui*** : si quelqu'un.

religion, l'aspect extérieur et l'attitude, venus d'un endroit du monde si éloigné et où ils n'avaient jamais imaginé qu'il y eût des habitants, quels qu'ils soient ; des gens montés sur des grands
475 monstres inconnus, contre eux qui n'avaient non seulement jamais vu de cheval, mais jamais vu d'animal quelconque dressé à porter et à garder sur son dos un homme ou une autre charge ; des gens munis d'une peau luisante et dure [1] et d'une arme tranchante et resplendissante, contre eux qui, pour l'émerveillement
480 que leur causait l'éclat d'un miroir ou d'un couteau, échangeaient volontiers une grande richesse en or et en perles, eux qui n'avaient ni science ni matière qui leur permissent de percer notre acier, même tout à loisir ; ajoutez-y les foudres et les tonnerres de nos pièces d'artillerie et de nos arquebuses [2], capables de trou-
485 bler César lui-même, si on l'avait surpris dans la même ignorance de ces armes, et employées aujourd'hui contre des peuples nus – mis à part ceux qui avaient découvert une manière de tisser le coton –, n'ayant d'autres armes, au mieux, que des arcs, des pierres, des bâtons et des boucliers de bois ; des peuples surpris,
490 sous une apparence d'amitié et de bonne foi, par la curiosité de voir des choses étrangères et inconnues : retranchez, dis-je, ces avantages aux conquérants, vous leur supprimez toutes les causes de tant de victoires. Quand je considère cette ardeur indomptable avec laquelle tant de milliers d'hommes, de femmes et d'enfants
495 s'exposent tant de fois à des dangers inévitables, et s'y jettent à nouveau pour défendre leurs dieux et leur liberté ; cette noble obstination à supporter toutes les extrémités, toutes les difficultés, et la mort plutôt que de se soumettre à la domination de ceux qui les ont leurrés si honteusement, certains préférant même
500 se laisser mourir de faim et de jeûne, une fois faits prisonniers, plutôt que d'accepter la nourriture des mains de leurs ennemis,

---

1. ***Une peau luisante et dure*** : métaphore qui désigne l'armure métallique des Espagnols.
2. ***Arquebuses*** : armes qui ont la forme primitive du fusil.

vivre des mains de leurs ennemis, si vilement victorieuses, je prévois que, à qui les eût attaqués pair à pair, et d'armes, et d'expérience, et de nombre, il y eût fait aussi dangereux, et plus, qu'en autre guerre que nous voyons.

Que n'est tombée sous Alexandre ou sous ces anciens Grecs et Romains une si noble conquête, et une si grande mutation et altération de tant d'empires et de peuples sous des mains qui eussent doucement poli et défriché ce qu'il y avait de sauvage, et eussent conforté et promu les bonnes semences que nature y avait produit, mêlant non seulement à la culture des terres et ornement des villes les arts de deçà, en tant qu'elles y eussent été nécessaires, mais aussi mêlant les vertus grecques et romaines aux originelles du pays ! Quelle réparation eût-ce été, et quel amendement à toute cette machine, que les premiers exemples et déportements nôtres [1] qui se sont présentés par-delà eussent appelé ces peuples à l'admiration et imitation de la vertu et eussent dressé entre eux et nous une fraternelle société et intelligence ! Combien il eût été aisé de faire son profit d'âmes si neuves, si affamées d'apprentissage, ayant pour la plupart de si beaux commencements naturels ! Au rebours, nous nous sommes servis de leur ignorance et inexpérience à les plier [2] plus facilement vers la trahison, luxure, avarice et vers toute sorte d'inhumanité et de cruauté, à l'exemple et patron de nos mœurs. Qui mit jamais à tel prix le service de la mercadence [3] et du trafic ? Tant de villes rasées, tant de nations exterminées, tant de millions de peuples passés au fil de l'épée, et la plus riche et belle partie du monde bouleversée pour la négociation des perles et du poivre ! Mécaniques [4] victoires. Jamais l'ambition, jamais les

1. ***Déportements nôtres*** : notre conduite.
2. ***Les plier*** : les faire ployer, les incliner.
3. ***La mercadence*** : le commerce.
4. ***Mécaniques*** : matérielles, mercantiles.

des mains si bassement victorieuses : quand je vois tout cela, je
présume que si on les avait affrontés à égalité en fait d'armement,
d'expérience et de nombre, le danger aurait été aussi grand, et
505 même plus grand que dans toutes les guerres que l'on peut voir.

Quel dommage qu'une si noble conquête ne soit tombée sous
le pouvoir d'Alexandre ou de ces anciens Grecs et Romains, et
qu'une si grande mutation et transformation de tant d'empires
et de peuples ne soient tombées dans des mains qui auraient
510 doucement poli et défriché ce qu'il y avait de sauvage, et qui
auraient conforté et développé les bonnes semences que la nature
y avait produites, en mêlant non seulement à la culture des terres
et à l'ornement des villes les techniques de ce côté-ci de l'océan,
dans la mesure où elles auraient été nécessaires, mais en mêlant
515 aussi les vertus grecques et romaines aux vertus originelles du
pays ! Quelle réparation et quelle amélioration c'eût été pour
cette machine ronde si les premiers exemples que nous aurions
montrés là-bas, si nos premiers comportements avaient engagé
ces peuples à l'admiration et à l'imitation de la vertu, et avaient
520 noué entre eux et nous une alliance et une entente fraternelles !
Comme il aurait été facile de faire notre profit d'âmes si neuves,
si avides d'apprendre, ayant pour la plupart de si beaux commencements naturels ! Au lieu de cela, nous nous sommes servis de
leur ignorance et de leur inexpérience pour les tourner plus facile-
525 ment vers la trahison, la débauche, la cupidité et vers toute sorte
d'inhumanité et de cruauté, à l'exemple et sur le modèle de nos
mœurs. Qui fit jamais payer aussi cher le droit de faire du commerce et du trafic ? Tant de villes rasées, tant de nations exterminées, tant de millions de gens passés au fil de l'épée, et la plus
530 riche et la plus belle partie du monde bouleversée pour le négoce
des perles et du poivre : vulgaires victoires. Jamais l'ambition,
jamais les inimitiés publiques ne poussèrent les hommes les uns

inimitiés publiques ne poussèrent les hommes les uns contre les autres à si horribles hostilités et calamités si misérables.

505 En côtoyant la mer à la quête de leurs mines, aucuns Espagnols prirent terre en une contrée fertile et plaisante, fort habitée, et firent à ce peuple leurs remontrances accoutumées [1] : qu'ils étaient gens paisibles, venant de lointains voyages, envoyés de la part du roi de Castille, le plus grand prince de 510 la terre habitable, auquel le pape, représentant Dieu en terre, avait donné la principauté de toutes les Indes ; que, s'ils voulaient lui être tributaires, ils seraient très bénignement [2] traités ; leur demandaient des vivres pour leur nourriture et de l'or pour le besoin de quelque médecine ; leur remontraient au 515 demeurant la créance d'un seul Dieu et la vérité de notre religion, laquelle ils leur conseillaient d'accepter, y ajoutant quelque menaces. La réponse fut telle : que, quant à être paisibles, ils n'en portaient pas la mine, s'ils l'étaient ; quant à leur roi, puisqu'il demandait, il devait être indigent et nécessi- 520 teux ; et celui qui lui avait fait cette distribution, homme aimant dissension d'aller donner à un tiers chose qui n'était pas sienne, pour le mettre en débat contre les anciens possesseurs ; quant aux vivres, qu'ils leur en fourniraient ; d'or, ils en avaient peu, et que c'était chose qu'ils mettaient en nulle 525 estime, d'autant qu'elle était inutile au service de leur vie, là où tout leur soin [3] regardait seulement à la passer heureusement et

1. ***Leurs remontrances accoutumées*** : leurs arguments habituels, leurs avertissements habituels.
2. ***Très bénignement traités*** : traités avec beaucoup de bienveillance.
3. ***Soin*** : souci.

contre les autres à des hostilités aussi horribles et à d'aussi déplorables calamités.

535 En longeant les côtes à la recherche de leurs mines [1], certains Espagnols abordèrent un pays fertile et plaisant, très peuplé, et firent à ce peuple leurs avertissements habituels [2] : qu'ils étaient des gens paisibles, arrivant après de longs voyages, envoyés par le roi de Castille, le plus grand prince de la terre habitable, 540 auquel le pape, qui représentait Dieu sur terre, avait donné le pouvoir sur toutes les Indes [3] ; que s'ils voulaient se soumettre à lui en lui payant tribut, on les traiterait bien gentiment ; ils leur demandaient des vivres, pour se nourrir, et de l'or dont ils avaient besoin pour quelque médicament [4] ; ils leur exposaient 545 au demeurant la croyance en un seul Dieu et la vérité de notre religion, qu'ils leur conseillaient d'accepter, ajoutant à cela quelques menaces. Voici ce que fut la réponse : que, quant à être des gens paisibles, s'ils l'étaient vraiment, ils n'en avaient pas l'air ; quant à leur roi, puisqu'il demandait quelque chose, il 550 devait être pauvre et dans le besoin ; et celui qui lui avait fait cette distribution devait aimer la discorde, en allant donner à un tiers une chose qui ne lui appartenait pas, pour le mettre en conflit avec ses anciens possesseurs ; quant aux vivres, ils leur en fourniraient ; de l'or, ils en avaient peu, et c'était chose pour 555 laquelle ils n'avaient aucune estime, parce qu'elle était inutile au service de leur vie et qu'ils n'avaient d'autre souci que de passer

---

1. ***Leurs mines*** : les mines d'or et d'argent.
2. ***Leurs avertissements habituels*** : allusion au *requerimiento*, discours que les conquistadors adressaient devant notaire aux peuples qu'ils rencontraient : ils les sommaient d'accepter la domination du roi d'Espagne et la religion catholique.
3. ***Les Indes*** : en l'occurrence l'Amérique, dans laquelle Christophe Colomb (1451-1506) a cru reconnaître le sous-continent indien.
4. ***Pour quelque médicament*** : il s'agit évidemment d'un prétexte fallacieux ; c'est par cupidité et non pour se soigner que les Espagnols avaient besoin d'or.

plaisamment ; pourtant, ce qu'ils en pourraient trouver, sauf ce qui était employé au service de leurs dieux, qu'ils le prissent hardiment ; quant à un seul Dieu, le discours leur en avait plu, 530 mais qu'ils ne voulaient changer leur religion, s'en étant si utilement servis si longtemps, et qu'ils n'avaient accoutumé prendre conseil que de leurs amis et connaissances ; quant aux menaces, c'était signe de faute de jugement d'aller menaçant ceux desquels la nature et les moyens étaient inconnus ; ainsi 535 qu'ils se dépêchassent promptement de vider leur terre, car ils n'étaient pas accoutumés de prendre en bonne part les honnêtetés et remontrances de gens armés et étrangers ; autrement, qu'on ferait d'eux comme de ces autres, leur montrant les têtes d'aucuns hommes justiciés [1] autour de leur ville. Voilà un 540 exemple de la balbutie de cette enfance. Mais tant y a que ni en ce lieu-là, ni en plusieurs autres, où les Espagnols ne trouvèrent les marchandises qu'ils cherchaient, ils ne firent arrêt ni entreprise, quelque autre commodité qu'il y eût, témoin mes cannibales.

545 Des deux les plus puissants monarques de ce monde-là, et, à l'aventure [2], de cettui-ci, rois de tant de rois, les derniers qu'ils en chassèrent, celui du Pérou, ayant été pris en une bataille et mis à une rançon si excessive qu'elle surpasse toute créance, et celle-là fidèlement payée, et avoir donné par sa 550 conversation [3] signe d'un courage franc, libéral et constant, et d'un entendement net et bien composé, il prit envie aux vainqueurs après en avoir tiré un million trois cents vingt-cinq mille cinq cents pesants d'or, outre l'argent et autres choses

1. ***Justiciés*** : exécutés.
2. ***À l'aventure*** : peut-être.
3. ***Sa conversation*** : sa manière d'être en société, son comportement.

cette vie dans le bonheur et le plaisir ; qu'ils n'hésitent pas, dans ce cas, à prendre ce qu'ils pourraient en trouver, sauf ce qui était employé au service de leurs dieux ; quant au Dieu unique, l'idée
560 leur en avait plu, mais ils ne voulaient pas changer leur religion, après l'avoir pratiquée avec tant de profit depuis si longtemps, et ils n'avaient l'habitude de prendre conseil que de leurs amis et de ceux qu'ils connaissaient ; quant aux menaces, c'était signe d'un manque de jugement que d'aller menacer des gens dont on ne
565 connaissait pas la nature et les forces ; qu'ils se dépêchassent donc de quitter leur pays, et sans délai, car ils n'avaient pas l'habitude de voir d'un bon œil les civilités et les avertissements de gens armés et étrangers ; que sinon, on ferait d'eux comme de ces autres, et ils leur montrèrent les têtes de quelques hommes exécu-
570 tés autour de leur ville. Voilà un exemple des balbutiements de ces enfants. Mais toujours est-il que dans cet endroit et dans beaucoup d'autres où les Espagnols ne trouvèrent pas les marchandises qu'ils cherchaient, ils ne s'arrêtèrent pas et ne firent pas d'incursions guerrières, quels que soient les autres avantages qu'on pou-
575 vait y trouver – mes cannibales pourraient en témoigner [1].

Des deux plus puissants monarques de ce monde-là – et peut-être aussi de ce monde-ci, rois de tant de rois, les derniers que les Espagnols chassèrent – l'un, roi du Pérou, fut capturé dans une bataille et soumis à une rançon tellement excessive qu'elle
580 dépasse l'entendement : cette rançon fut fidèlement payée, le roi donna par son comportement les marques d'un cœur libre, généreux et ferme, et d'un esprit clair et bien fait, mais – après avoir tiré de lui un million trois cent vingt-cinq mille cinq cents onces [2] d'or, sans compter l'argent et d'autres choses dont la valeur

---

1. ***Mes cannibales*** : ceux dont Montaigne a parlé au livre I, chap. XXXI (voir p. 46-89).
2. ***Un million trois cent vingt-cinq mille cinq cents onces*** : plus de trente-sept tonnes (l'once est une ancienne mesure de poids représentant environ trente grammes).

qui ne montèrent pas moins, si que leurs chevaux n'allaient
555 plus ferrés que d'or massif, de voir encore, au prix de quelque déloyauté que ce fut, quel pouvait être le reste des trésors de ce roi, et jouir librement de ce qu'il avait réservé. On lui apposta [1] une fausse accusation et preuve, qu'il desseignait [2] de faire soulever ses provinces pour se remettre en liberté. Sur
560 quoi, par beau jugement de ceux mêmes qui lui avaient dressé cette trahison, on le condamna à être pendu et étranglé publiquement, lui ayant fait racheter le tourment d'être brûlé tout vif par le baptême qu'on lui donna au supplice même. Accident horrible et inouï, qu'il souffrit pourtant sans se démentir
565 ni de contenance, ni de parole, d'une forme et gravité vraiment royale. Et puis, pour endormir les peuples étonnés et transis de chose si étrange, on contrefit un grand deuil de sa mort, et lui ordonna l'on [3] des somptueuses funérailles.

L'autre, roi de Mexico, ayant longtemps défendu sa ville
570 assiégée et montré en ce siège tout ce que peut et la souffrance et la persévérance, si onques prince et peuple le montra, et son malheur l'ayant rendu vif [4] entre les mains des ennemis, avec capitulation d'être traité en roi (aussi ne leur fit-il rien voir, en la prison, indigne de ce titre) ; ne trouvant point après
575 cette victoire tout l'or qu'ils s'étaient promis, après avoir tout remué et tout fouillé, se mirent à en chercher des nouvelles par les plus âpres geines de quoi ils se purent aviser, sur les prisonniers qu'ils tenaient. Mais, n'ayant rien profité, trouvant des courages plus forts que leurs tourments, ils en vinrent enfin
580 à telle rage que, contre leur foi [5] et contre tout droit des gens [6],

1. ***On lui apposta*** : on machina contre lui.
2. ***Il desseignait*** : il avait le dessein.
3. ***Lui ordonna l'on*** : on lui ordonna.
4. ***L'ayant rendu vif*** : l'ayant livré vivant.
5. ***Foi*** : parole donnée, promesse.
6. ***Droit des gens*** : conventions applicables dans toute nation (*gens* en latin), même pendant la guerre.

585 n'était pas moindre, au point que leurs chevaux ne portaient plus que des fers d'or massif – il prit l'envie aux vainqueurs de voir, quel que fût le prix de cette trahison, ce que pouvait être le reste des trésors de ce roi, et de profiter pleinement de ce qu'il avait gardé en réserve. On machina contre lui une accusation, avec de 590 fausses preuves, en soutenant qu'il projetait de faire soulever ses provinces pour recouvrer sa liberté. Sur ce, en vertu d'un beau jugement rendu par ceux-là mêmes qui avaient monté contre lui cette action traîtresse, on le condamna à être pendu et étranglé publiquement, après lui avoir accordé, pour le consoler de la 595 torture d'être brûlé vif, le baptême, qu'on lui administra au cours du supplice même. Sort horrible et inouï, qu'il supporta cependant sans défaillir ni par l'attitude ni par la parole, avec une allure et une gravité vraiment royales. Puis, pour endormir les gens, stupéfaits et étourdis par un événement si extraordinaire, 600 on simula un grand deuil de sa mort, et on lui fit de somptueuses funérailles.

L'autre roi, celui de Mexico, défendit longtemps sa ville assiégée, il montra dans ce siège tout ce dont sont capables l'endurance et la persévérance, si jamais un prince ou un peuple le 605 montrèrent, et il tomba vivant, pour son malheur, entre les mains des ennemis, ayant capitulé sous condition d'être traité comme un roi (d'ailleurs il ne leur fit rien voir dans sa prison qui fût indigne de ce titre) ; ne trouvant pas après cette victoire tout l'or qu'ils s'étaient promis, après avoir tout remué et tout fouillé, les 610 Espagnols se mirent à s'enquérir de cet or en infligeant aux prisonniers qu'ils détenaient les supplices les plus terribles qu'ils pouvaient inventer. Mais ne parvenant à rien, ayant affaire à des cœurs plus forts que leurs tortures, ils se mirent dans une telle rage que, en dépit de leur promesse et du droit humain le plus

ils condamnèrent le roi même et l'un des principaux seigneurs de sa cour à la geine en présence l'un de l'autre. Ce seigneur, se trouvant forcé de la douleur, environné de brasiers ardents, tourna sur la fin piteusement sa vue vers son maître, comme
585 pour lui demander merci de ce qu'il n'en pouvait plus. Le roi, plantant fièrement et rigoureusement les yeux sur lui pour reproche de sa lâcheté et pusillanimité, lui dit seulement ces mots, d'une voix rude et ferme : Et moi, suis-je dans un bain ? suis-je pas plus à mon aise que toi ? Celui-là, soudain après,
590 succomba aux douleurs et mourut sur la place. Le roi, à demi-rôti, fut emporté de là, non tant par pitié (car quelle pitié toucha jamais des âmes qui, pour la douteuse information de quelque vase d'or à piller, fissent griller devant leurs yeux un homme, non qu'un [1] roi si grand et en fortune et en mérite ?)
595 mais ce fut que sa constance rendait de plus en plus honteuse leur cruauté. Ils le pendirent depuis ayant [2] courageusement entrepris de se délivrer par armes d'une si longue captivité et sujétion, où il fit sa fin digne d'un magnanime prince.

À une autre fois, ils mirent brûler pour un coup, en même
600 feu, quatre cent soixante hommes tous vifs, les quatre cents du commun peuple, les soixante des principaux seigneurs d'une province, prisonniers de guerre simplement. Nous tenons d'eux-mêmes ces narrations, car ils ne les avouent pas seulement, ils s'en vantent et les prêchent. Serait-ce pour témoi-
605 gnage de leur justice ? ou zèle envers la religion ? Certes, ce

1. ***Non qu'un*** : bien plus, un.
2. ***Depuis ayant*** : plus tard, alors qu'il avait.

615 élémentaire, ils condamnèrent le roi lui-même et l'un des principaux seigneurs de sa cour à être torturés en présence l'un de l'autre. Ce seigneur, accablé par la douleur, entouré de brasiers ardents, tourna finalement un regard pitoyable vers son maître, pour lui demander pardon de ce qu'il n'en pouvait plus. Le roi, 620 plantant fièrement et sévèrement les yeux sur lui, lui reprochant sa lâcheté et sa pusillanimité [1], ne lui dit que ces mots, d'une voix rude et ferme : « Et moi, je suis peut-être dans mon bain ? Suis-je vraiment plus à l'aise que toi ? » L'autre, sitôt après, succomba à ses douleurs et mourut sur-le-champ. Le roi, à demi rôti, 625 fut enlevé de là : ce ne fut pas tant l'effet de la pitié (car quelle pitié toucha jamais des âmes qui, pour obtenir un renseignement douteux sur un vase d'or à piller, étaient capables de faire griller devant leurs yeux un homme, qui plus est un roi, si grand par son destin et sa valeur ?) ; ce fut plutôt parce que sa constance 630 faisait de plus en plus honte à leur cruauté. Ils le pendirent plus tard, quand il tenta courageusement de se délivrer par les armes d'une captivité et d'une sujétion aussi longues : il se donna ainsi une fin digne d'un prince magnanime.

À une autre occasion, ils firent brûler vifs, tous ensemble dans 635 un même feu, quatre cent soixante hommes, quatre cents venant du peuple, soixante pris parmi les principaux seigneurs d'une province : c'étaient de simples prisonniers de guerre. C'est d'eux-mêmes que nous tenons ces récits [2] ; car non seulement ils les avouent, mais ils s'en vantent et les prônent. Serait-ce pour 640 témoigner de leur sens de la justice ? Ou de leur zèle envers la

---

1. ***Sa pusillanimité*** : sa timidité, son manque de courage.
2. ***C'est d'eux-mêmes que nous tenons ces récits*** **:** en particulier Francisco López de Gómara (1511-1566), auteur de l'*Histoire générale des Indes* (1552), ouvrage auquel le récit de Montaigne est très redevable dans ce chapitre. Gómara fut le secrétaire du conquistador Hernán Cortés (1485-1547) qui s'empara de l'Empire aztèque pour le compte de Charles Quint (1500-1558).

sont voies trop diverses [1] et ennemies d'une si sainte fin. S'ils se fussent proposés d'étendre notre foi, ils eussent considéré que ce n'est pas en possession de terres qu'elle s'amplifie, mais en possession d'hommes, et se fussent trop contentés des 610 meurtres que la nécessité de la guerre apporte, sans y mêler indifféremment une boucherie, comme sur des bêtes sauvages, universelle, autant que le fer et le feu y ont put atteindre, n'en ayant conservé par leur dessein qu'autant qu'ils en ont voulu faire de misérables esclaves pour l'ouvrage et service de leurs 615 minières [2] ; si que plusieurs des chefs ont été punis à mort, sur les lieux de leur conquête, par ordonnance des rois de Castille, justement offensés de l'horreur de leurs déportements et quasi tous désestimés et mal voulus [3]. Dieu a méritoirement permis que ces grands pillages se soient absorbés par la mer en les 620 transportant, ou par les guerres intestines de quoi ils se sont entremangés entre eux, et la plupart s'enterrèrent sur les lieux, sans aucun fruit de leur victoire.

Quant à ce que la recette, et [4] entre les mains d'un prince ménager et prudent, répond si peu à l'espérance qu'on en 625 donna à ses prédécesseurs, et à cette première abondance de richesses qu'on rencontra à l'abord de ces nouvelles terres (car, encore qu'on en retire beaucoup, nous voyons que ce n'est rien au prix de ce qui s'en devait attendre), c'est que l'usage de la monnaie était entièrement inconnu, et que par 630 conséquent leur or se trouva tout assemblé, n'étant en autre

1. ***Diverses*** : contraires.
2. ***Minières*** : mines.
3. ***Mal voulus*** : haïs.
4. ***Et*** : même.

religion ? Ce sont bien sûr des voies trop éloignées et trop ennemies d'une si sainte fin. S'ils avaient eu pour but de propager notre foi, ils auraient considéré qu'elle ne se répand pas par la possession des terres, mais par la possession des hommes, et ils 645 se seraient largement contentés des meurtres entraînés par les nécessités de la guerre, sans y ajouter une boucherie indistincte, comme sur des bêtes sauvages, universelle, autant que le feu et le fer l'ont permis, n'ayant, à dessein, épargné qu'autant d'hommes dont ils voulaient faire de misérables esclaves pour le 650 travail et l'exploitation de leurs mines ; au point que plusieurs chefs [1] ont été punis de mort, sur les lieux de leur conquête, par ordre des rois de Castille, justement indignés de l'horreur de leur comportement ; et presque tous s'en sont trouvés déshonorés et détestés. Dieu a permis, à bon droit, que ces grands pillages 655 soient engloutis par la mer pendant leur transport, ou à la suite de guerres intestines par lesquelles ils se sont dévorés entre eux [2] et, pour la plupart, se sont enterrés [3] sur place, sans retirer aucun fruit de leur victoire.

Quant au fait que le butin, pourtant entre les mains d'un 660 prince économe et prudent [4], correspond si peu à l'espérance qu'on en donna à ses prédécesseurs et à la première abondance de richesses qu'on découvrit en abordant ces nouvelles terres (car, bien qu'on en retire beaucoup, nous voyons que ce n'est rien par rapport à ce que l'on pouvait en attendre), cela tient à 665 ce que l'usage de la monnaie était entièrement inconnu là-bas, et que, par conséquent, on trouva tout l'or qu'ils possédaient

---

1. ***Plusieurs chefs*** : il s'agit des chefs espagnols ; allusion à la mort de Gonzalo Pizarro (1502-1548), frère de Francisco (conquérant de l'Empire inca), qui fut exécuté en 1548 par un envoyé de Charles Quint.
2. ***Se sont dévorés entre eux*** : en particulier les Almagro, père et fils, et les frères Pizarro.
3. ***Se sont enterrés*** : ont volontairement couru à leur perte (sens figuré).
4. ***Un prince économe et prudent*** : Philippe II d'Espagne (1527-1598), alors sur le trône.

service que de montre et de parade, comme un meuble réservé de père en fils par plusieurs puissants rois, qui épuisaient toujours leurs mines pour faire ce grand monceau de vases et statues à l'ornement de leurs palais et de leurs temples, au lieu que notre or est tout en emplette et en commerce. Nous le menuisons [1] et altérons en mille formes, l'épandons et dispersons. Imaginons que nos rois amoncelassent ainsi tout l'or qu'ils pourraient trouver en plusieurs siècles, et le gardassent immobile.

Ceux du royaume de Mexico étaient aucunement plus civilisés et plus artistes que n'étaient les autres nations de là. Aussi jugeaient-ils, ainsi que nous, que l'univers fut proche de sa fin, et en prirent pour signe la désolation que nous y apportâmes. Ils croyaient que l'être du monde se départ en cinq âges et en la vie de cinq Soleils consécutifs, desquels les quatre avaient déjà fourni leur temps, et que celui qui leur éclairait était le cinquième. Le premier périt avec toutes les autres créatures par universelle inondation d'eaux ; le second, par la chute du ciel sur nous, qui étouffa toute chose vivante, auquel âge ils assignent les géants, et en firent voir aux Espagnols des ossements à la proportion desquels la stature des hommes revenait à vingt paumes de hauteur ; le troisième, par feu qui embrasa et consuma tout ; le quatrième, par une émotion [2] d'air et de vent qui abattit jusques à plusieurs montagnes ; les hommes n'en moururent point, mais ils furent changés en magots (quelles impressions ne souffre la lâcheté de l'humaine créance !) ; après la mort de ce Soleil, le monde fut vingt-cinq ans en perpétuelles ténèbres, au quinzième desquels fut créé un homme et une femme qui refirent l'humaine race ; dix ans après, à certain de leurs jours, le Soleil parut nouvellement créé ; et commence, depuis, le compte de leurs

1. ***Nous le menuisons*** : nous l'amenuisons, nous le réduisons.
2. ***Émotion*** : agitation, tempête.

entassé, ne servant qu'au spectacle et à la parade, comme un bien conservé de père en fils par des rois puissants, qui exploitaient toujours leurs mines à fond pour faire ce grand monceau 670 de vases et de statues destinés à l'ornement de leurs palais et de leurs temples, alors que notre or est entièrement employé pour l'achat et le commerce. Nous en faisons de menus morceaux et le transformons de mille façons, nous le répandons et le dispersons. Imaginons que nos rois amoncellent ainsi tout l'or qu'ils 675 auraient trouvé au cours des siècles et le gardent à ne rien faire…

Les habitants du royaume de Mexico étaient à certains égards plus civilisés et plus artistes que ne l'étaient les autres peuples de là-bas. Aussi pensaient-ils comme nous que l'univers était proche de sa fin, et ils en voulaient pour preuve la dévastation que nous 680 y avons apportée. Ils croyaient que l'existence du monde se partage en cinq âges, et en la vie de cinq Soleils successifs, dont les quatre premiers avaient déjà fait leur temps, et que celui qui les éclairait était le cinquième. Le premier périt avec toutes les autres créatures dans une inondation universelle ; le deuxième, par la 685 chute du ciel sur nous, qui étouffa toute chose vivante – c'est à cet âge qu'ils situent l'existence des géants, et ils firent voir aux Espagnols des ossements en proportion desquels la taille de ces hommes se ramenait à vingt paumes [1] de hauteur ; le troisième périt par le feu qui embrasa et consuma tout ; le quatrième, dans 690 une agitation d'air et de vent qui abattit même plusieurs montagnes ; les hommes n'en moururent point, mais furent changés en singes (quelles opinions n'admet pas la faiblesse de la crédulité humaine !) ; après la mort de ce quatrième Soleil le monde demeura vingt-cinq ans plongé dans les ténèbres ; à la quinzième 695 année furent créés un homme et une femme qui refirent la race humaine ; dix ans après, à un certain jour de leur calendrier, le Soleil apparut, nouvellement créé ; et le décompte de leurs

1. ***Vingt paumes*** : plus de deux mètres ; la distance de la paume varie entre dix et trente centimètres.

années par ce jour-là. Le troisième jour de sa création, moururent les dieux anciens ; les nouveaux sont nés depuis, du jour à la journée [1]. Ce qu'ils estiment de la manière que ce
665 dernier Soleil périra, mon auteur n'en a rien appris. Mais leur nombre de ce quatrième changement rencontre à [2] cette grande conjonction des astres qui produisit, il y a huit cents tant d'ans, selon que les astrologiens [3] estiment, plusieurs grandes altérations et nouvelletés au monde.

670 Quant à la pompe et magnificence, par où je suis entré en ce propos, ni Grèce, ni Rome, ni Égypte ne peut, soit en utilité, ou difficulté, ou noblesse, comparer aucun de ses ouvrages au chemin qui se voit au Pérou, dressé par les rois du pays, depuis la ville de Quito jusqu'à celle de Cusco (il y a trois
675 cents lieues), droit, uni, large de vingt-cinq pas, pavé, revêtu de côté et d'autre de belles et hautes murailles, et le long d'icelles [4], par le dedans, deux ruisseaux pérennes, bordés de beaux arbres qu'ils nomment *molly*. Où ils ont trouvé des montagnes et rochers ils les ont taillés et aplanis, et comblé
680 les fondrières de pierre et chaux. Au chef de [5] chaque journée, il y a de beaux palais fournis de vivres, de vêtements et d'armes, tant pour les voyageurs que pour les armées qui ont à y passer. En l'estimation de cet ouvrage, j'ai compté la difficulté, qui est particulièrement considérable en ce lieu-là. Ils
685 ne bâtissaient point de moindres pierres que de dix pieds en carré ; ils n'avaient autre moyen de charrier qu'à force de bras, en traînant leur charge ; et pas seulement l'art d'échafauder, n'y sachant autre finesse que de hausser autant de terre contre

---

1. *Du jour à la journée* : peu à peu.
2. *Rencontre à* : concorde avec.
3. *Astrologiens* : astrologues.
4. *D'icelles* : de celles-ci.
5. *Au chef de* : au bout de.

années commence à ce jour-là. Le troisième jour de sa création, les anciens dieux moururent ; les nouveaux sont nés peu à peu
700 par la suite. Ce qu'ils pensent de la manière dont ce dernier Soleil périra, mon auteur [1] n'en a rien appris. Mais la datation de leur quatrième changement concorde avec cette grande conjonction des astres qui, à en croire les astrologues, provoqua il y a huit cents ans plusieurs grands changements et nouveautés dans le
705 monde.

Quant à la pompe et la magnificence, qui m'ont conduit à parler de tout cela, aucun ouvrage de la Grèce, ni de Rome, ni d'Égypte ne peut rivaliser en utilité, en difficulté ou en noblesse avec le chemin que l'on peut voir au Pérou, construit par les rois
710 de ce pays, depuis la ville de Quito jusqu'à celle de Cusco (trois cents lieues [2] les séparent), droit, uni, large de vingt-cinq pas, revêtu de chaque côté de belles et hautes murailles, le long desquelles, à l'intérieur, deux ruisseaux coulent en permanence, bordés de beaux arbres qu'ils nomment « molly ». Là où ils ont
715 rencontré des montagnes et des rochers, ils les ont taillés et aplanis, et ils ont comblé les fondrières [3] de pierre et de chaux. Au début de chaque étape, il y a de beaux palais approvisionnés de vivres, de vêtements et d'armes, tant pour les voyageurs que pour les armées qui ont à y passer. Pour apprécier la valeur de cet
720 ouvrage, j'ai tenu compte de la difficulté, qui est particulièrement importante dans ces contrées. Ils bâtissaient avec des pierres qui n'avaient jamais moins de dix pieds carrés [4] ; ils n'avaient d'autre moyen pour transporter leur charge que de la traîner à la force de leurs bras ; et ils ne connaissaient même pas l'art des échafau-
725 dages, n'ayant d'autre technique que d'élever un remblai de terre

---

1. ***Mon auteur*** : très probablement López de Gómara (voir note 2, p. 139).
2. ***Trois cents lieues*** : plus de mille deux cents kilomètres.
3. ***Fondrières*** : trous bourbeux.
4. ***Dix pieds carrés*** : un peu plus de trois mètres carrés (le pied est une ancienne mesure de longueur qui représente environ trente centimètres).

leur bâtiment, comme il s'élève, pour l'ôter après.

690 Retombons [1] à nos coches. En leur place, et de toute autre voiture, ils se faisaient porter par les hommes et sur leurs épaules. Ce dernier roi du Pérou, le jour qu'il fut pris, était ainsi porté sur des brancards d'or et assis dans une chaise d'or, au milieu de sa bataille. Autant qu'on tuait de ces porteurs pour 695 le faire choir à bas (car on le voulait prendre vif), autant d'autres, et à l'envi, prenaient la place des morts, de façon qu'on ne le put onques abattre, quelque meurtre qu'on fit de ces gens-là, jusqu'à ce qu'un homme de cheval l'allât saisir au corps, et l'avalât [2] par terre.

---

1. ***Retombons*** : revenons.
2. ***L'avalât*** : l'abattît.

contre leur bâtiment, au fur et à mesure de sa construction, pour l'enlever ensuite.

Revenons à nos voitures. À leur place, et pour tout autre moyen de transport, ils se faisaient porter par les hommes et sur
730 leurs épaules. Ce dernier roi du Pérou, le jour où il fut fait prisonnier, était ainsi porté sur des brocards en or, et assis dans une chaise d'or, au milieu de son armée en bataille. À chaque porteur que l'on tuait pour le faire tomber (car on voulait le prendre vivant), un autre s'empressait de prendre la place du mort, si
735 bien que l'on ne put jamais le jeter à bas, quelque massacre que l'on fît de ces gens-là, jusqu'au moment où un homme à cheval alla le saisir à bras-le-corps et le jeta à terre.

■ Théodore de Bry (1528-1598), gravure extraite de l'ouvrage *Grands Voyages, Americae tertia pars*, 1592.

Avant sa mise à mort, le prisonnier est invité à lancer des invectives et des projectiles sur ceux qui vont le tuer. Le rituel est raconté par Jean de Léry et évoqué à travers le chant du prisonnier dans « Des cannibales », p. 81-83.

LEXIQUE

Analogie : figure de pensée qui consiste à comparer un rapport entre des éléments à un autre rapport entre d'autres éléments.

Anaphore : répétition d'un mot ou d'un groupe de mots en début de vers ou de proposition.

Anthropologie : étude scientifique des aspects physiques, culturels et sociaux de l'être humain.

Énumération : figure de style qui consiste à faire une liste d'éléments de même nature grammaticale séparés par une virgule pour créer un effet d'insistance ou d'accumulation.

Essai : pour Montaigne, l'essai n'est pas encore un genre littéraire mais une méthode. Le terme désigne alors l'opération intellectuelle de mise à l'essai (à l'épreuve) de sa pensée et de ses facultés de jugement sur divers sujets. En choisissant ce titre, Montaigne montre que son œuvre privilégie la démarche consistant à rechercher la vérité et la connaissance de soi. Ce n'est qu'à partir du XVIIe siècle que le mot renvoie à un genre littéraire didactique.

Ethnocentrisme : façon de voir le monde exclusivement à travers le prisme des usages et des idées de sa communauté d'origine en les considérant comme les seuls valables, sans distance critique.

Ethnologie : étude scientifique des caractères sociaux et culturels au sein d'une société humaine spécifique.

Hyperbate : figure de style par laquelle un élément inattendu est ajouté à un énoncé qui paraissait terminé.

Métaphore : figure de style qui consiste à établir un lien d'équivalence entre un comparant et un comparé sans mentionner de terme comparatif.

Métaphore filée : fait de prolonger une métaphore par plusieurs rapprochements successifs.

Mythe du « bon sauvage » : représentation idéalisée de l'être humain à l'état de nature, avant qu'il soit corrompu par les vices de la civilisation et de la culture. Issue des historiens antiques, cette représentation est très employée dans les récits des colons du Nouveau Monde. Elle fleurira au XVIIIe siècle : les philosophes des Lumières s'en serviront comme modèle de pensée, notamment Jean-Jacques Rousseau dans son *Discours sur l'origine et les fondements de l'inégalité parmi les hommes* (1755).

PÉRIODE : le XVIe siècle pense l'organisation du propos en termes de période (unité prosodique ou rythmique) plutôt qu'en termes de phrase (délimitée par la ponctuation). Dans la période, on appelle PROTASE la première partie, qui est ascendante, et APODOSE la deuxième partie, qui est descendante.

RELATIVISME CULTUREL : façon de penser qui veut que les idées et usages d'une société donnée n'aient pas plus de valeur que ceux d'une autre société, et varient selon les époques et les lieux géographiques.

SCEPTICISME : aussi appelé pyrrhonisme, philosophie grecque antique qui a pour but d'accéder à l'ataraxie (« paix de l'âme »). Elle propose de confronter des opinions contradictoires sur un même sujet de pensée pour faire valoir leur égale valeur et suspendre le jugement. La démarche sceptique de Montaigne est ainsi une recherche permanente de la vérité, qui ne prétend ni la trouver ni affirmer qu'elle n'existe pas.

UTOPIE : société imaginaire idéale. Le mot est forgé par l'Anglais Thomas More pour son œuvre *Utopie* en 1516 à partir du grec (*u/topos* : « lieu qui n'existe pas » et *eu/topos* : « bon lieu »).

DOSSIER

Étude de l'œuvre

« Des cannibales »

- Construction d'ensemble du chapitre
- Extrait n° 1 : une société naturelle
- Extrait n° 2 : la rencontre entre deux mondes

« Des coches »

- Construction d'ensemble du chapitre
- Extrait n° 3 : la découverte du Nouveau Monde
- Extrait n° 4 : une remise en cause de la colonisation

Parcours : « Notre monde vient d'en trouver un autre »

- Rencontres de l'autre et de l'ailleurs (groupement de textes n° 1)
- L'anthropophagie en question (groupement de textes n° 2)
- Vers l'écrit du bac (sujets d'entraînement)

■ Théodore de Bry, gravure réalisée pour la traduction de la *Très brève relation de la destruction des Indes*, de Bartolomé de las Casas, 1598.

L'illustration représente le massacre des Amérindiens par les Espagnols.

ÉTUDE DE L'ŒUVRE

« Des cannibales »

Construction d'ensemble du chapitre

Une réflexion sur la fiabilité des témoignages

1. En vous référant à la Présentation de l'édition (p. 14), expliquez quels sont le sens et l'origine du mot « cannibale ». Qui était désigné par ce mot à l'époque où Montaigne écrit ?

2. Dans les premières lignes du chapitre, par quelle maxime l'auteur affirme-t-il qu'il ne faut pas suivre les *a priori* ?

3. Quelle est la connotation du mot « barbare » employé à la p. 47 ? Quand Montaigne explique la manière dont il faut juger les étrangers selon lui, à quelle culture commune aux Européens se réfère-t-il ?

4. Sur quel témoignage Montaigne s'appuie-t-il pour parler des « cannibales » ? Pourquoi cette source est-elle fiable, selon lui ? Au contraire, pour quelles raisons certains témoignages sur le Nouveau Monde pourraient-ils être infidèles et douteux ?

5. À partir de ces constats, que pouvez-vous conclure sur la démarche que va adopter Montaigne pour parler des Amérindiens dans ce chapitre ?

La description fascinante d'une culture

6. À partir de « Au demeurant » (p. 63), que fait Montaigne ? Dressez la liste des différents aspects de la vie des Amérindiens évoqués dans la suite du chapitre jusqu'à « ressemblant au grec par ses terminaisons » (p. 85). En quoi ce passage rappelle-t-il la démarche des ethnologues (voir Lexique, p. 149) du XXe siècle ?

7. Observez l'emploi de la première personne dans le texte : à quel endroit Montaigne fait-il part de l'expérience personnelle qu'il a de la culture des Amérindiens ? Que traduit cette expérience sur son rapport aux peuples du Nouveau Monde ?

8. Deux grands principes professés par les vieillards dans la société amérindienne sont rapportés à la p. 65 : lesquels ? Dans quelle phrase les propos du prophète reprennent-ils ces deux principes ? À votre avis, quelle est la position de Montaigne sur le sujet et que veut-il montrer au lecteur ?

9. Lorsqu'il aborde la religion, comment Montaigne décrit-il la façon dont sont traités les faux prophètes ? Que dit-il sur la capacité qu'ont les hommes d'accéder aux vérités divines ? Sachant que l'auteur vit les guerres de Religion et qu'il déplore l'agitation créée par la Réforme (voir p. 71), en quoi la violence des Amérindiens contre les faux prophètes est-elle justifiée à ses yeux ?

Pour aller plus loin

Rapprochez les deux grands principes promus par les vieillards cannibales de ces extraits des *Essais* ; que constatez-vous ?

- « Il n'y a pas d'occupation plus plaisante que l'occupation militaire ; occupation à la fois noble dans son exécution (car la plus forte, généreuse et superbe de toutes les vertus est la vaillance), et à la fois noble en sa cause : il n'est point d'utilité ni plus juste, ni plus universelle que la protection de la tranquillité et de la grandeur de son pays [1] » (III, 13, « De l'expérience »).
- « Un bon mariage [...] essaie d'imiter les conditions de l'amitié. C'est une douce vie commune, pleine de constance, de confiance et d'un nombre infini de services utiles et solides et d'obligations mutuelles » (III, 5, « Sur des vers de Virgile »).

---

1. Nous modernisons les différentes citations des *Essais* proposées dans le Dossier.

Un combat contre les préjugés

10. Délimitez les deux passages dans lesquels Montaigne évoque la guerre, le cannibalisme et la polygamie. À votre avis, quels sont les préjugés des Européens sur ces pratiques, en particulier sur les deux dernières ?

11. Comment Montaigne rattache-t-il chacune de ces coutumes au caractère et aux croyances des Amérindiens ? Quelles qualités associe-t-il à la guerre et au cannibalisme tels qu'ils les pratiquent ? Par quelle référence culturelle justifie-t-il la pratique de la polygamie ?

12. Montaigne cite un dernier trait culturel comme preuve de l'intelligence des Amérindiens : lequel ? De quoi rapproche-t-il le texte de la chanson des Amérindiens et dans quel but selon vous ?

Pour conclure

Dans l'organisation du chapitre « Des cannibales », Montaigne fait évoluer son propos de la représentation théorique de l'autre à sa mise en présence concrète. Délimitez les différentes étapes qui permettent de passer des représentations littéraires au témoignage factuel jusqu'à la rencontre et à la prise de parole finale des cannibales.

 EXTRAIT N° 1 : une société naturelle

Relisez le texte de « Or je trouve » à « de la main des dieux » (p. 57-61), puis répondez aux questions suivantes.

Dans ce chapitre, Montaigne évoque les Tupinambas, peuple du Brésil récemment côtoyé par des Français lors du voyage de Nicolas Durand de Villegagnon, gouverneur de la colonie éphémère de la France antarctique, et qui furent décrits par André Thevet et Jean de Léry. Il s'agit d'une célèbre critique de l'ethnocentrisme.

A. Vers l'oral : analyse linéaire

Du relativisme culturel (de « Or je trouve » à « de tout faire », l. 125-133)

1. Dans la première phrase, comment Montaigne relativise-t-il son propos pour donner un avis personnel ? Pour répondre, vous vous appuierez notamment sur l'emploi des pronoms personnels et la présence d'une proposition incise.

2. Sur quel mot Montaigne fait-il porter sa réflexion et que pense-t-il de l'usage qui en est fait ? Retrouvez le passage du chapitre où le sens de ce terme avait déjà été interrogé.

3. Qu'est-ce que le relativisme culturel ? Reformulez la définition proposée dans le Lexique (p. 150) puis dites en quoi Montaigne défend cette idée.

4. Relevez une énumération assortie d'une anaphore. Quel adjectif est répété ici ? Expliquez ce que cherche à montrer Montaigne par ce procédé d'insistance. En quoi consiste l'effet de citation dans ce passage ?

Nature et sauvagerie (de « Ces hommes sont sauvages » à « étouffée », l. 133-147)

5. Sur quel terme Montaigne fait-il porter à présent son analyse, et quelle est sa catégorie grammaticale ? Pour en étudier le sens, quel autre emploi de ce mot convoque-t-il ?

6. Recherchez la définition des termes « nature » et « culture » et expliquez en quoi ils s'opposent. Les contemporains de Montaigne appellent-ils « sauvages » les fruits issus de la nature ou ceux issus de la culture humaine ? Qu'en pense l'auteur ?

7. Dans la deuxième phrase de ce passage, relevez les termes mélioratifs et péjoratifs. À quoi se rattachent-ils ?

8. Explicitez l'analogie qu'établit Montaigne entre les fruits naturels et les habitants du Nouveau Monde en complétant : *Les contemporains de Montaigne appellent « sauvages » les habitants du Nouveau Monde alors qu'en réalité...*

« Nous » et « eux » (de « Ces peuples » à « liens sociaux », l. 159-176)

9. Quelle définition par la négation puis quelle définition positive Montaigne donne-t-il de la barbarie des Amérindiens ? Relevez la symétrie de construction fondée sur la répétition d'un adverbe intensif.

10. Qui Montaigne désigne-t-il par le pronom personnel « nous » ? À qui ce « nous » est-il comparé, d'abord dans l'espace puis dans le temps ? En faveur de qui est faite cette comparaison ? Appuyez-vous sur le texte pour justifier votre réponse.

11. Repérez la proposition subordonnée consécutive corrélée à « en telle pureté ». Que déplore Montaigne ici ? Par quelle forme verbale ce regret est-il exprimé ?

12. Relevez un adverbe de supériorité. De quoi Montaigne juge-t-il ses contemporains moins aptes que les gens de l'Antiquité ?

13. De quelle période mythique Montaigne rapproche-t-il les sociétés amérindiennes ?

14. Rechercher qui sont Lycurge et Platon, puis reformulez la dernière phrase de cet extrait. Pourquoi Montaigne aurait-il voulu que Lycurge et Platon eussent pu connaître les sociétés cannibales ?

Un modèle de société (de « C'est un peuple » à « de la main des dieux », l. 176-188)

15. Quel type de discours rapporté est employé dans la première phrase ? Qui sont le locuteur et le destinataire ? Indiquez quels sont le temps et le mode utilisés dans l'incise « dirais-je à Platon », puis justifiez-les.

16. Quelle est la figure de style employée par Montaigne dans la même phrase ? Quel type de société dessine-t-il en mentionnant l'absence d'un certain nombre d'éléments ?

17. Selon l'auteur, quels sont les mots qui n'existent pas dans le langage des Amérindiens ? De quoi cette absence est-elle révélatrice ?

18. L'extrait se clôt sur le nom « perfection ». Retrouvez les occurrences de l'adjectif « parfait » pour démontrer que Montaigne a radicalement déplacé l'idée de perfection d'une société à une autre. Sa description peut-elle être qualifiée d'utopie ?

19. En jouant sur leur polysémie, quelles nouvelles définitions Montaigne a-t-il proposées des mots « barbare » et « sauvage » ? Montrez que le fait de relativiser le sens du vocabulaire lui permet de renverser les jugements de valeur par lesquels les Européens se représentent les Amérindiens.

Question de grammaire : nature, fonction et référent

« Les lois naturelles, fort peu abâtardies par les nôtres, leur commandent encore » (p. 61).
« en un temps où il y avait des hommes qui auraient su en juger mieux que nous » (p. 61).

Questions

1. Quelles sont la catégorie et la fonction grammaticales de « leur » et de « les nôtres » ? Précisez le référent de chacun de ces mots.
2. Analysez la construction de l'adjectif « abâtardies » et déduisez-en son sens.
3. Dans la deuxième phrase, délimitez les deux propositions subordonnées relatives et précisez leur antécédent.

B. Vers l'écrit : axes pour le commentaire composé

Voici une proposition de plan pour un commentaire composé correspondant aux attentes du baccalauréat. Vous compléterez chaque sous-partie à l'aide d'exemples et de citations tirés de l'extrait étudié.

I. Une argumentation polémique

a. Un raisonnement organisé
b. L'implication de Montaigne
c. Un propos adressé : la présence de l'interlocuteur

II. L'idéalisation des sociétés du Nouveau Monde

a. Les procédés de l'éloge
b. Les caractéristiques d'une société parfaite
c. L'usage des références antiques

III. Une mise en question de l'ethnocentrisme européen

a. Une comparaison au détriment de l'Europe
b. Une redéfinition de la barbarie et de la civilisation
c. La mise en question implicite de la supériorité européenne

---

EXTRAIT N° 2 : la rencontre entre deux mondes

Relisez le chapitre de « Trois d'entre eux » à la fin du chapitre (p. 85-89), puis répondez aux questions suivantes.

Montaigne rapporte ici la visite de trois Tupinambas à Rouen. Cet épisode se situe probablement au moment de la venue de Charles IX lors de la cérémonie dite de « l'entrée royale », après la prise de la ville aux mains des réformés par l'armée en 1562.

A. Vers l'oral : analyse linéaire

L'art de la période (de « Trois d'entre eux » à « Charles IX y était », l. 491-498)

1. De qui est-il question dans cet extrait ? Quel est le cadre spatio-temporel spécifié par Montaigne ?

2. Repérez le verbe principal de la période (voir Lexique, p. 150). Quel est son sujet et à quelle distance sont-ils situés l'un de l'autre ? Quel effet ce choix d'écriture produit-il chez le lecteur ?

3. Divisez cette période en deux parties et comparez la taille de la protase et de l'apodose. Quel effet de rythme est ainsi créé ? En vous appuyant sur l'emploi des temps grammaticaux, précisez à quelle période temporelle est rattachée l'apodose. Qu'en est-il de la protase ?

4. Quelle partie de la période contient les informations factuelles ? Laquelle contient le commentaire de Montaigne ? Répondez en vous appuyant notamment sur l'emploi des pronoms personnels.

5. À partir des questions 3 et 4, montrez que la parole de Montaigne tient à la fois de la chronique et de la prophétie.

6. Pour résumer, expliquez en quoi, par son rythme et son contenu, cette période exprime une forme de chute pour les cannibales, qui passent d'un monde idéal à celui des Européens. À quelle caractéristique universellement partagée par tous les hommes cette chute tient-elle, selon Montaigne ? De quel épisode biblique cette idée peut-elle être rapprochée ? Justifiez votre réponse.

La confrontation entre deux mondes (de « Le roi » à « leurs maisons à feu », l. 498-515)

7. Dans la première phrase du passage, quelle est la fonction grammaticale des pronoms qui servent à désigner les cannibales ? Que peut-on en déduire sur la place qui leur est laissée dans l'entretien avec le roi ?

8. À quel champ lexical appartiennent les mots « voir », « faire voir » et « admirable » ? Relevez un adverbe, deux adjectifs et une figure de style qui montrent que le roi et sa suite font une démonstration ostentatoire de leur civilisation aux cannibales, et analysez l'emploi des déterminants possessifs.

9. Quelle est la question finalement posée aux Amérindiens ? Sont-ils interrogés sur leur propre culture ? En quoi cela révèle-t-il l'attitude ethnocentrique des Européens ?

10. Par quel type de discours Montaigne rapporte-t-il la parole des Amérindiens ?

11. Quel verbe est employé pour exprimer le fait que le regard des Amérindiens s'est porté au-delà du spectacle qu'on voulait leur montrer ? En quoi leur étonnement implique-t-il une critique indirecte de l'organisation sociale du royaume de France ? Dans quel domaine cette critique s'exerce-t-elle ?

12. Les Amérindiens sont-ils révérencieux à l'égard du roi ? D'après leurs paroles, quelles sont les « grandeurs » qu'ils admirent en réalité ? Selon eux, à quelles qualités la puissance royale doit-elle naturellement être associée ?

Pour aller plus loin

Rapprochez les deux réponses des Tupinambas de ces extraits de textes :

• « La nature, le ministre de Dieu, la gouvernante des hommes, nous a tous faits de même forme, et, semble-t-il, dans le même moule, afin de tous nous reconnaître les uns les autres pour compagnons ou plutôt pour frères » (Étienne de La Boétie, *Discours de la servitude volontaire*).

• « Nous étions tous deux moitié l'un de l'autre » (Montaigne, *Essais*, I, 28, « De l'amitié » ; Montaigne parle ici de La Boétie, dont il était un ami très proche).

Le renversement du regard sur l'autre (de « J'ai parlé » à « hauts-de-chausses », l. 516-531)

13. Par quels pronoms et temps Montaigne indique-t-il qu'il participe activement à l'anecdote qu'il raconte ?

14. Pourquoi va-t-il à la rencontre de l'un des Tupinambas ? Relevez le nom qui exprime l'expérience qu'il compte faire par cette rencontre.

15. Quelles questions pose-t-il aux Amérindiens ? Quelles différences constatez-vous en les comparant avec celles énoncées par le roi ?

16. Comment la supériorité du « roi » des Tupinambas se manifeste-t-elle dans les usages de son pays ? Que pensez-vous de ces égards ? Comparez-les à ceux que l'on donne au roi en France.

17. Quelles qualités le témoignage du roi des Tupinambas révèle-t-il chez lui ? À votre avis, quel sentiment Montaigne veut-il susciter chez son lecteur à l'égard des « cannibales » dans ce passage ?

18. Les hauts-de-chausses font-ils la qualité d'un homme ? Pourquoi Montaigne termine-t-il de cette manière, à votre avis ? Analysez la manière dont il crée un effet de citation humoristique afin de retourner le jugement négatif sur les Européens et leurs préjugés.

Pour conclure

Montrez que Montaigne laisse la parole aux cannibales pour faire réfléchir son lecteur sur son propre monde, qu'il s'agisse de ses représentations culturelles, de l'organisation politique et sociale de la France ou de la relativité de ses coutumes et de ses usages.

Question de grammaire : les propositions

« ignorant combien coûtera un jour à leur tranquillité et à leur bonheur la connaissance des corruptions de ce côté-ci de l'océan, ignorant aussi que de cette fréquentation viendra leur ruine » (p. 85).

Question

Dans cet extrait, délimitez les propositions et indiquez leur nature.

B. Vers l'écrit : axes pour le commentaire composé

Voici une proposition de plan pour un commentaire composé correspondant aux attentes du baccalauréat. Vous compléterez chaque partie en proposant trois sous-parties que vous illustrerez à l'aide d'exemples et de citations tirés de l'extrait étudié.

I. Une anecdote vécue
II. La difficile rencontre de l'autre
III. Le relativisme culturel

« Des coches »

 Construction d'ensemble du chapitre

De l'usage de la digression

1. Selon Montaigne, pour quelle raison les grands auteurs attribuent-ils parfois aux événements des causes qui ne sont pas toujours certaines ni même vraies ? Ainsi, pourquoi est-il d'usage de bénir ceux qui éternuent, d'après Aristote ?

2. À quelle cause Plutarque attribue-t-il le mal de mer ? Montaigne croit-il à cette explication ? Montrez qu'il s'appuie sur son expérience personnelle pour répondre.

3. L'auteur développe ensuite une réflexion sur la peur : quel est le lien avec le propos qui précède ? Que laisse entendre cet enchaînement sur la façon dont Montaigne écrit son chapitre ?

4. Pour alimenter sa réflexion sur la peur, Montaigne entremêle les références à l'Antiquité et son expérience personnelle. À quelle conclusion paradoxale parvient-il sur l'efficacité de la peur en situation de fuite ?

5. Quelle distinction Montaigne fait-il entre anticiper le danger et avoir peur du danger ? Lui-même est-il disposé à la peur par son caractère ? Citez une phrase qui confirme votre réponse.

Les « coches » et les dépenses des princes

6. L'auteur revient ensuite à la question des transports. Quels moyens de locomotion évoque-t-il ? Quel est celui qu'il préfère employer ?

7. Quels usages des coches sont évoqués des lignes 91 à 135 ?

8. Que pense Montaigne des dépenses liées à l'apparat des princes ? Quel lien pouvez-vous établir avec la fin du chapitre « Des cannibales », à propos du déplacement du roi des Tupinambas, et en quoi celui-ci est-il valorisé par comparaison ?

9. Dans quels domaines la dépense du pouvoir est-elle justifiée selon Montaigne ?

10. Pourquoi l'auteur condamne-t-il la générosité des princes ? Aux dépens de qui se fait-elle, selon lui ? Quels sont les arguments par lesquels Montaigne valorise la parcimonie dans les dépenses du souverain plutôt que la générosité ?

11. À quel exemple antique Montaigne renvoie-t-il au sujet des dépenses excessives du pouvoir ? Énumérer les objets de ces dépenses. Cependant, pour quelle raison ces étalages de richesses sont-ils excusables ?

Un réquisitoire contre la colonisation

12. À partir de « Car que ceux qui les ont subjugués » (p. 127), comment Montaigne déplace-t-il la perspective du côté des Amérindiens ? Quels éléments les ont étonnés lors de leur rencontre avec les Européens ? Pourquoi ?

13. Par quels arguments Montaigne relativise-t-il la défaite des Amérindiens contre les Espagnols et les Portugais ? Quelles preuves du courage de ces peuples donne-t-il en exemple ?

14. Dresser le bilan des accusations de Montaigne à l'encontre des Européens. Quelle image est donnée des colons espagnols ?

15. Racontez les histoires des rois Atahualpa et Cuauthémoc (p. 135-139) en les reformulant avec vos propres mots. Quels sentiments inspirent-elles au lecteur ?

16. Que pense Montaigne de l'argument de la conversion des Amérindiens à la foi chrétienne pour justifier la conquête de ces terres ? Quelles sont les réelles motivations des Espagnols, selon lui ?

17. À quoi sert en réalité l'or des Amérindiens ? En quoi cet usage des richesses peut-il être rapproché de celui que recommande Montaigne plus haut dans le chapitre ?

18. À la fin du chapitre sont réintroduits deux thèmes déjà abordés au début de « Des coches » : lesquels ? Montrer que la dernière anecdote permet de clore le chapitre en croisant les différents sujets qui y ont été abordés : la question des coches, celles de l'apparat royal, du relativisme culturel, de la lâcheté des Européens dans leur violence contre les Amérindiens.

Pour aller plus loin

« Nous aurons, je le crains, très fortement hâté son déclin et sa ruine » (p. 125) : la suite de l'Histoire donne-t-elle raison à Montaigne ? Justifiez votre réponse en vous appuyant sur les conséquences historiques de la rencontre entre l'Ancien et le Nouveau Monde.

EXTRAIT N° 3 : la découverte du Nouveau Monde

Relisez le chapitre de « Notre monde vient d'en trouver un autre » à « de notre monde » (p. 125-127), puis répondez aux questions suivantes.

Dans le passage précédent, Montaigne avance l'idée selon laquelle la nature laisse à l'être humain la possibilité d'être très divers, c'est ce qui explique la multiplicité et la variété des coutumes à travers le temps et le monde. La découverte du Nouveau Monde est une illustration de cette idée.

A. Vers l'oral : analyse linéaire

La rencontre entre deux mondes (de « Notre monde vient » à « en savoir-faire », l. 429-459).

1. Dans la première phrase, relevez les points communs et les différences établis par Montaigne entre l'Ancien et le Nouveau Monde.

2. À quoi le Nouveau Monde est-il comparé ? Repérez sur quelles expressions repose la métaphore filée.

3. À quoi Montaigne compare-t-il la nature dans cette analogie ? Quel lien pouvez-vous faire avec la définition du mot « sauvage » qu'il donne dans le chapitre « Des cannibales » (voir extrait n° 1, p. 155) ?

4. À partir de cette métaphore, quel avenir Montaigne prévoit-il pour l'Ancien et le Nouveau Monde ? Relevez le parallélisme de construction syntaxique qui permet cette comparaison. Quel temps est employé pour donner au propos un ton visionnaire ?

5. Quels sont normalement les devoirs d'un adulte envers un enfant ? L'Europe a-t-elle rempli ce rôle à l'égard de l'Amérique, selon Montaigne ? Justifiez.

6. Montaigne procède ensuite à une énumération. La forme de phrase employée est-elle affirmative ou négative ? De quoi est-il question dans cette énumération et quel est l'effet produit ?

7. Quelles qualités Montaigne reconnaît-il aux Amérindiens ? Dans quels domaines affirme-t-il l'achèvement de leur civilisation et à quel niveau la place-t-il par rapport à la civilisation européenne ?

Un plaidoyer en faveur des Amérindiens (de « Mais quant à la piété » à « de notre monde », l. 459-467)

8. L'organisation du propos est articulée autour du mot « mais » : quelle est sa catégorie grammaticale et qu'exprime-t-il ?

9. En quoi la structure syntaxique choisie par Montaigne crée-t-elle un effet de chute au détriment des Européens ?

10. Dans cet extrait, relevez les termes mélioratifs : qui concernent-ils ? Quel est le paradoxe moral dans cette situation ?

11. « par cet avantage qu'ils avaient sur nous, ils se sont perdus, et vendus, et trahis eux-mêmes » (l. 461-463) : analysez la construction de cette double hyperbate (voir Lexique, p. 149). Quel effet cette figure de style produit-elle ?

12. Illustrez le caractère oratoire de ce passage en relevant une anaphore et différentes énumérations. En quoi Montaigne semble-t-il poser un regard surplombant sur la situation ?

13. En quoi ce texte relève-t-il du discours judiciaire ? De qui Montaigne serait-il l'avocat ? Contre qui ferait-il un réquisitoire ? De quoi les accuserait-il ?

14. D'après l'auteur, les colons peuvent-ils se glorifier de leur victoire militaire ?

15. À qui Montaigne compare-t-il les Amérindiens à la fin de l'extrait ? Dans quel champ culturel s'inscrit cette référence ? À votre avis, quel est l'effet produit par ce choix ?

Pour conclure

Dans cet extrait, montrez comment la comparaison des civilisations européenne et amérindienne passe progressivement de l'affirmation d'une supériorité technique de la civilisation européenne à une égalité dans le domaine culturel puis à une supériorité éthique des Amérindiens sur les Européens.

Question de grammaire : la syntaxe

« Mais quant à la piété, au respect des lois, à la bonté, la libéralité, la loyauté, la franchise, il nous a été bien utile de ne pas en avoir autant qu'eux » (p. 127).

Questions

1. Quelle est la catégorie grammaticale du mot « il » ? Pouvez-vous identifier son référent ? Qu'en déduisez-vous ?
2. Reformulez la phrase selon un ordre plus naturel en commençant par : *Mais il nous a été bien utile...* Quelle est désormais la fonction du groupe de mots « piété, respect des lois, bonté, libéralité, loyauté, franchise » ?
3. Quel est l'effet produit par le renversement de l'ordre syntaxique de la phrase qui place ces mots en tête ?

B. Vers l'écrit : axes pour le commentaire composé

Voici une proposition de plan pour un commentaire composé correspondant aux attentes du baccalauréat. Vous compléterez chaque partie par des sous-parties, elles-mêmes composées d'exemples et de citations tirés de l'extrait étudié.

I. La confrontation de l'Ancien et du Nouveau Monde
II. Un portrait de l'Amérique comme monde-enfant
III. Une redéfinition de la civilisation

EXTRAIT N° 4 : une remise en cause de la colonisation

Relisez le chapitre de « En longeant les côtes » à « la nature et les forces » (p. 133-135), puis répondez aux questions suivantes.

Dans ce passage, Montaigne rapporte le rituel du *requerimiento* par lequel les Espagnols prenaient possession des terres au nom du roi d'Espagne et de la religion catholique. Ce procédé fut pratiqué au Mexique et au Pérou.

A. Vers l'oral : analyse linéaire

L'arrivée espagnole (de « En longeant les côtes » à « quelques menaces », l. 535-547)

1. Quel est le temps employé dans la première phrase ? Justifiez son emploi.

2. Que recherchent les marins espagnols ? Quel type de discours rapporté est employé par Montaigne pour retranscrire leurs paroles ?

3. Par quel groupe adjectival l'auteur précise-t-il que la terre sur laquelle débarquent les Espagnols n'est pas inoccupée ? Quel est le rôle de l'adverbe ici ?

4. Commentez la manière dont les marins espagnols se présentent : la phrase est-elle facile à comprendre ? Identifiez les maillons de la chaîne d'autorité dont ils se revendiquent : lequel incarne l'autorité politique à leurs yeux ? Lequel l'autorité religieuse ?

5. Les Amérindiens peuvent-ils connaître les personnes ainsi citées ? Dès lors, quelle impression donne le discours des Espagnols ?

6. Quelle relation les Espagnols instaurent-ils avec les habitants de la terre où ils débarquent ? Quels biens réclament-ils ? Pensez-vous que l'usage pour lequel ils demandent de l'or soit véridique ? Quelle image ce propos donne-t-il d'eux ?

7. Quel est le dernier sujet mentionné dans le discours des Espagnols et en quoi cette place traduit-elle leurs préoccupations concernant le Nouveau Monde ?

8. Par quels mots Montaigne mentionne-t-il le discours prosélyte [1] des Espagnols ? Quels mots entrent en contradiction ? Analysez l'effet ainsi suscité.

La réponse amérindienne (de « Voici ce que fut » à « et les forces », l. 547-565)

9. Par quel type de discours Montaigne rapporte-t-il le discours des Amérindiens ?

10. Avec quelle locution prépositionnelle ces derniers présentent-ils les différentes étapes de leur réponse ? De quels sujets parlent-ils successivement ? D'où vient cet ordre ?

11. Indiquez les deux contradictions que soulignent les Amérindiens dans le discours tenu par les Espagnols. Par quelle phrase se posent-ils comme les propriétaires de leur terre ?

1. ***Prosélyte*** : qui cherche à convertir quelqu'un à une religion.

12. Que montre l'organisation de cette réponse ainsi que les arguments qu'elle contient sur ceux qui la formulent ?

13. De quelle qualité font preuve les Amérindiens lorsqu'ils sont cependant prêts à faire bon accueil aux étrangers qui se présentent et à les aider au besoin ?

14. En quoi consiste l'écart entre les Amérindiens et les Espagnols concernant l'usage de l'or ? Proposez un adjectif pour qualifier le rapport des Européens aux richesses.

Pour aller plus loin

Quel lien pouvez-vous établir entre la réaction des Amérindiens lorsque les Espagnols leur professent de changer de religion et les extraits suivants ? L'éthique et les valeurs promues par les « cannibales » ressemblent-elles à celles de Montaigne ?

• Sur la manière de vivre : « Moi qui n'ai d'autres fins que de vivre et de me réjouir » (III, 5, « Sur des vers de Virgile ») ; « J'aime la vie et la cultive telle qu'il a plu à Dieu de nous la donner » (III, 13 : « De l'expérience ») ; « C'est une perfection absolue, et presque divine, de savoir profiter loyalement de son être » (*ibid.*).

• Sur les troubles religieux : « Écoutez-les régenter » (III, 13, « De l'expérience », à propos des prédicateurs protestants) ; « Je suis dégoûté de la nouveauté, quel que soit son visage, et j'ai raison, car j'en ai vu des effets très dommageables » (I, 23 « De la coutume ») ; « Rien ne contraint plus un État que l'innovation : le changement seul fait naître l'injustice et la tyrannie » (III, 9, « De la vanité »).

Question de grammaire : le discours rapporté

« Voici ce que fut la réponse : que, quant à être des gens paisibles, s'ils l'étaient vraiment, ils n'en avaient pas l'air ; quant à leur roi, puisqu'il demandait quelque chose, il devait être pauvre et dans le besoin ; et celui qui lui avait fait cette distribution devait aimer la discorde, en allant donner à un tiers une chose qui ne lui appartenait pas, pour le mettre en conflit avec ses anciens possesseurs » (p. 133).

Questions

1. Transposez cet extrait au discours direct, en faisant les modifications nécessaires.
2. À quel temps et à quel mode avez-vous récrit « ils n'en avaient pas l'air » ? Quelle est la valeur de ce temps ?

B. Vers l'écrit : axes pour le commentaire composé

Voici une proposition de plan pour un commentaire composé correspondant aux attentes du baccalauréat. Vous compléterez chaque partie par des sous-parties, elles-mêmes composées d'exemples et de citations tirés de l'extrait étudié.

I. Le récit d'un fait historique sous forme d'une anecdote plaisante et vivante
II. Un passage construit en deux mouvements parallèles : la réponse des Amérindiens aux Espagnols
III. Un réquisitoire indirect contre les colons espagnols

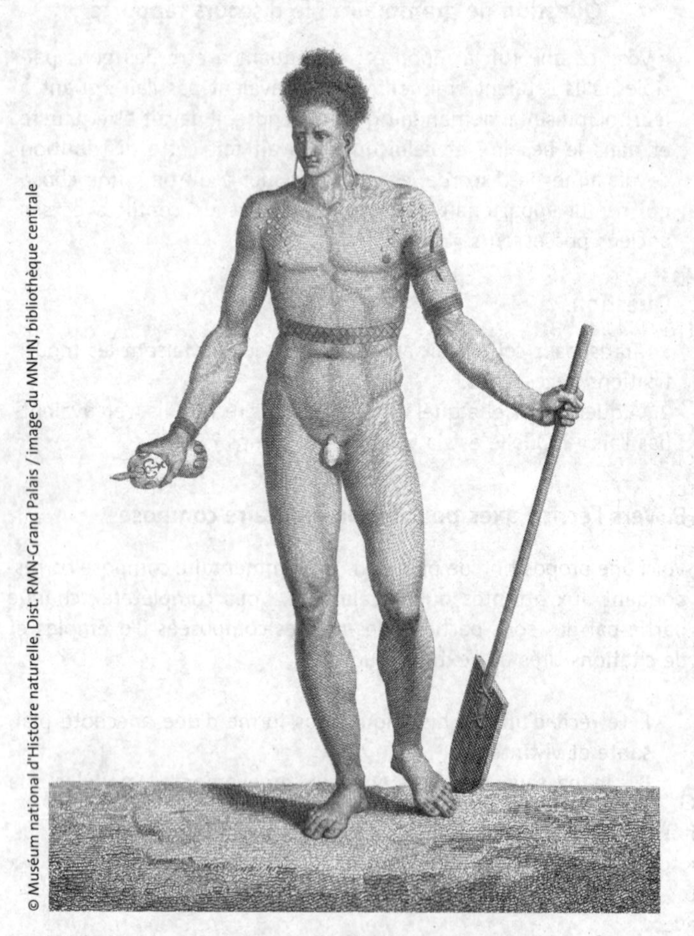

■ **Nicolas Piron, *Sauvage des îles de l'Amirauté*, vers 1791.**

Cet homme de Papouasie-Nouvelle-Guinée est représenté avantageusement selon les codes classiques issus de l'Antiquité. L'illustration peut être mise en relation avec les textes des Lumières, notamment avec le *Supplément au Voyage de Bougainville* de Diderot (voir p. 176).

PARCOURS : « NOTRE MONDE VIENT D'EN TROUVER UN AUTRE »

Rencontres de l'autre et de l'ailleurs

(groupement de textes nº 1)

À l'époque des Lumières, le thème de la rencontre entre deux cultures est l'occasion pour les philosophes d'interroger les usages européens et de les critiquer. C'est ainsi que Voltaire et Diderot représentent des sociétés lointaines idéalisées dans *Candide* (1759) et dans le *Supplément au Voyage de Bougainville* (1796). Anticipant sur les réflexions des ethnologues du XXe siècle, Chateaubriand s'interroge, dans son *Voyage en Amérique* (1827), sur la façon d'observer les usages des peuples d'Amérique. Dans *Nous et les autres* (1993), Tzvetan Todorov fait porter son questionnement sur les types de voyageurs dans leur rapport à l'altérité.

Voltaire, *Candide* (1759)

Ce conte philosophique narre le périple de Candide, un jeune homme élevé selon les préceptes de son maître Pangloss d'après qui « tout est au mieux » dans « le meilleur des mondes possibles ». Les aventures du héros l'obligeront à confronter cette philosophie avec l'expérience de la réalité. Après avoir débarqué en Amérique et rencontré un métis nommé Cacambo, Candide arrive dans le pays mythique d'Eldorado où il dialogue avec un vieil habitant.

Candide ne se lassait pas de faire interroger ce bon vieillard ; il voulut savoir comment on priait Dieu dans Eldorado. « Nous ne le prions point, dit le bon et respectable sage ; nous n'avons rien à lui demander, il nous a donné tout ce qu'il nous faut ; nous le remercions sans cesse. » Candide eut la curiosité de voir des prêtres ; il fit demander où ils étaient. Le bon vieillard sourit. « Mes amis, dit-il, nous sommes tous prêtres ; le roi et tous les chefs de famille chantent des cantiques d'actions de grâces solennellement tous les matins, et cinq ou six mille musiciens les accompagnent. – Quoi ! vous n'avez point de moines qui enseignent, qui disputent, qui gouvernent, qui cabalent, et qui font brûler les gens qui ne sont pas de leur avis [1] ? – Il faudrait que nous fussions fous, dit le vieillard ; nous sommes tous ici du même avis, et nous n'entendons pas ce que vous voulez dire avec vos moines. » Candide à tous ces discours demeurait en extase, et disait en lui-même : « Ceci est bien différent de la Vestphalie et du château de M. le baron : si notre ami Pangloss avait vu Eldorado, il n'aurait plus dit que le château de Thunder-ten-tronckh [2] était ce qu'il y avait de mieux sur la terre ; il est certain qu'il faut voyager. » [...]

Quand ils approchèrent de la salle du trône, Cacambo demanda à un grand officier comment il fallait s'y prendre pour saluer Sa Majesté : si on se jetait à genoux ou ventre à terre ; si on mettait les mains sur la tête ou sur le derrière ; si on léchait la poussière de la salle ; en un mot, quelle était la cérémonie. « L'usage, dit le grand officier, est d'embrasser le roi et de le baiser des deux côtés. » Candide et Cacambo sautèrent au cou de Sa Majesté, qui les reçut avec toute la grâce imaginable, et qui les pria poliment à souper.

En attendant, on leur fit voir la ville, les édifices publics élevés jusqu'aux nues, les marchés ornés de mille colonnes, les fontaines

---

1. Au chapitre VI, Candide assiste à un autodafé, cérémonie au cours de laquelle des hérétiques sont brûlés vifs par les autorités catholiques.

2. ***Le château de Thunder-ten-tronckh*** : le château du baron de Thunder-ten-tronckh, situé en Vestphalie, est le lieu où Candide a grandi. Pangloss a effectivement affirmé qu'il s'agissait du lieu le plus agréable possible.

d'eau pure, les fontaines d'eau rose, celles de liqueurs de cannes de sucre qui coulaient continuellement dans de grandes places pavées d'une espèce de pierreries qui répandaient une odeur semblable à celle du girofle et de la cannelle. Candide demanda à voir la Cour de Justice, le parlement ; on lui dit qu'il n'y en avait point, et qu'on ne plaidait jamais. Il s'informa s'il y avait des prisons, et on lui dit que non. Ce qui le surprit davantage, et qui lui fit le plus de plaisir, ce fut le palais des sciences, dans lequel il vit une galerie de deux mille pas, toute pleine d'instruments de mathématiques et de physique.

Voltaire, *Candide* [1759], Flammarion, coll. « Étonnants classiques », 2017, chap. XVIII, p. 107-109.

Questions

1. À quels événements Voltaire fait-il allusion en évoquant des moines qui « font brûler les gens qui ne sont pas de leur avis » ? Trouver le passage du chapitre « Des cannibales » dans lequel Montaigne dénonce les prétentions des faux prophètes.

2. Quelle image le texte donne-t-il du souverain d'Eldorado ? En quoi peut-il être comparé au chef des Tupinambas décrit par Montaigne à la fin du chapitre « Des cannibales » ?

3. Quels sont les points communs entre la description d'Eldorado et celle de l'urbanisme des villes amérindiennes faite par Montaigne dans « Des coches » ? Le texte de Voltaire vous semble-t-il réaliste ou utopique ? Justifiez.

4. En quelques phrases, expliquez quelles sont les valeurs sociales promues par Voltaire à travers cette évocation de l'Eldorado, en identifiant les points communs et les nouveautés par rapport aux valeurs que Montaigne projette chez les Amérindiens.

Denis Diderot, *Supplément au Voyage de Bougainville* (1796)

Cet essai se présente comme un prolongement du *Voyage autour du monde* de Louis Antoine de Bougainville, publié en 1771. S'appuyant sur ce récit de voyage, Diderot imagine des chapitres inédits et invente de nouveaux personnages pour développer sa réflexion philosophique. Ici, un vieux Tahitien harangue Bougainville au moment où le navigateur quitte son île.

Puis s'adressant à Bougainville, il ajouta :

« Et toi, chef des brigands qui t'obéissent, écarte promptement ton vaisseau de notre rive : nous sommes innocents, nous sommes heureux ; et tu ne peux que nuire à notre bonheur. Nous suivons le pur instinct de la nature ; et tu as tenté d'effacer de nos âmes son caractère. Ici tout est à tous ; et tu nous as prêché je ne sais quelle distinction du *tien* et du *mien*. Nos filles et nos femmes nous sont communes [...]. Nous sommes libres ; et voilà que tu as enfoui dans notre terre le titre de notre futur esclavage. Tu n'es ni un dieu, ni un démon : qui es-tu donc, pour faire des esclaves ? Orou [1] ! toi qui entends la langue de ces hommes-là, dis-nous à tous, comme tu me l'as dit à moi-même, ce qu'ils ont écrit sur cette lame de métal : *Ce pays est à nous*. Ce pays est à toi ! et pourquoi ? parce que tu y as mis le pied ? Si un Tahitien débarquait un jour sur vos côtes, et qu'il gravât sur une de vos pierres ou sur l'écorce d'un de vos arbres : *Ce pays est aux habitants de Tahiti*, qu'en penserais-tu ? Tu es le plus fort ! Et qu'est-ce que cela fait ? Lorsqu'on t'a enlevé une des méprisables bagatelles dont ton bâtiment est rempli, tu t'es récrié, tu t'es vengé ; et dans le même instant tu as projeté au fond de ton cœur le vol de toute une contrée ! Tu n'es pas esclave : tu souffrirais plutôt la mort que de l'être, et tu veux nous asservir ! Tu crois donc que le Tahitien ne sait pas défendre sa liberté et mourir ? Celui dont tu

1. ***Orou*** : nom du Tahitien qui, le premier, a accueilli Bougainville.

veux t'emparer comme de la brute, le Tahitien est ton frère. Vous êtes deux enfants de la nature ; quel droit as-tu sur lui qu'il n'ait pas sur toi ? Tu es venu ; nous sommes-nous jetés sur ta personne ? avons-nous pillé ton vaisseau ? t'avons-nous saisi et exposé aux flèches de nos ennemis ? t'avons-nous associé dans nos champs au travail de nos animaux ? Nous avons respecté notre image en toi. Laisse-nous nos mœurs ; elles sont plus sages et plus honnêtes que les tiennes ; nous ne voulons point troquer ce que tu appelles notre ignorance, contre tes inutiles lumières. Tout ce qui nous est nécessaire et bon, nous le possédons. Sommes-nous dignes de mépris, parce que nous n'avons pas su nous faire des besoins superflus ? Lorsque nous avons faim, nous avons de quoi manger ; lorsque nous avons froid, nous avons de quoi nous vêtir.

Denis Diderot, *Supplément au Voyage de Bougainville* [1796], Flammarion, coll. « Étonnants classiques », 2007, p. 43-44.

Questions

1. Quel est le sentiment qui anime le vieillard à l'égard de Bougainville ?

2. À la ligne 6, il évoque « je ne sais quelle distinction du tien et du mien ». Selon lui, quel principe Bougainville a-t-il transmis aux Tahitiens ?

3. Selon le vieillard, dans quels domaines Bougainville a-t-il apporté cette distinction ? Quels en seront les effets ?

4. Le vieillard juge-t-il les Tahitiens égaux aux navigateurs ou pense-t-il qu'ils leur sont supérieurs ? Justifiez en précisant votre réponse.

François René de Chateaubriand, *Voyage en Amérique* (1827)

Dans ce récit, Chateaubriand rend compte du voyage qu'il a effectué en 1791 afin de découvrir le continent nord-américain. Le périple qui le mène de Boston aux sources du Mississippi est l'occasion de nombreuses rencontres, tant avec des Amérindiens qu'avec des colons. Cette expérience alimente sa réflexion sur la manière de témoigner de façon pertinente de la singularité des peuples rencontrés.

Il y a deux manières également fidèles et infidèles de peindre les sauvages de l'Amérique septentrionale : l'une est de ne parler que de leurs lois et de leurs mœurs, sans entrer dans le détail de leurs coutumes bizarres, de leurs habitudes souvent dégoûtantes pour les hommes civilisés. Alors on ne verra que des Grecs et des Romains ; car les lois des Indiens sont graves et les mœurs souvent charmantes.

L'autre manière consiste à ne représenter que les habitudes et les coutumes des sauvages, sans mentionner leurs lois et leurs mœurs ; alors on n'aperçoit plus que des cabanes enfumées et infectes dans lesquelles se retirent des espèces de singes à parole humaine. Sidoine Apollinaire [1] se plaignait d'être obligé d'entendre le rauque langage du Germain et de fréquenter le Bourguignon, qui se frottait les cheveux avec du beurre.

Je ne sais si la chaumine du vieux Caton [2], dans le pays des Sabins, était beaucoup plus propre que la hutte d'un Iroquois. Le malin Horace pourrait sur ce point nous laisser des doutes.

Si l'on donne aussi les mêmes traits à tous les sauvages de l'Amérique septentrionale, on altérera la ressemblance ; les sauvages de la

---

1. ***Sidoine Apollinaire*** (430-489) : homme politique et évêque gallo-romain, auteur de lettres et témoin du passage de la Gaule romaine aux invasions barbares.
2. ***Caton l'Ancien*** (234-149 av. J.-C.) : homme politique romain originaire de Sabine, région au nord-est de Rome, où il retournait entre ses campagnes militaires.

Louisiane et de la Floride différaient en beaucoup de points des sauvages du Canada.

François René Chateaubriand, *Voyage en Amérique* [1827], Gallimard, coll. « Folio », 2019.

Questions

1. D'après la première phrase, quel est le but de Chateaubriand ? D'après le dernier paragraphe, quel est l'écueil à éviter ? Montrez dès lors que la démarche de l'auteur se rapproche de l'ethnologie.

2. Quelles sont les deux manières de rendre compte des usages des Amérindiens selon Chateaubriand ? Pour chacune d'elles, précisez en quoi elle est fidèle et infidèle à la réalité.

3. Quel est le modèle idéal de civilisation pour Chateaubriand ? Établissez un lien avec les deux chapitres de Montaigne que vous avez étudiés.

Tzvetan Todorov, *Nous et les autres* (1993)

À la fin de cet essai consacré à l'étude des textes français abordant la rencontre d'autres groupes culturels, Tzvetan Todorov propose une typologie de dix catégories de voyageurs : l'assimilateur, le profiteur, le touriste, l'impressionniste, l'assimilé, l'exote, l'exilé, l'allégoriste, le désabusé et le philosophe. Voici la définition qu'il propose de cinq d'entre eux.

1. L'assimilateur. […] L'assimilateur est celui qui veut modifier les autres pour qu'ils lui ressemblent ; c'est en principe un universaliste (il croit en l'unité du genre humain), mais il interprète habituellement la différence des autres en termes de manque par rapport à son propre idéal. La figure classique de l'assimilateur est le missionnaire chrétien, qui veut convertir les autres à sa propre religion […].

Le prosélytisme chrétien coïncide avec la première grande vague de la colonisation, celle du XVIe siècle, c'est l'idée de la civilisation européenne, et non plus du christianisme, qui est exportée.

2. Le profiteur. Le profiteur habituel n'est ni prêtre, ni soldat, ni idéologue : c'est un homme d'affaires, par exemple commerçant, ou industriel. Son attitude à l'égard des autres consiste à les utiliser à son profit ; il spécule sur leur altérité pour mieux les « gruger », comme le dit Segalen [1]. À la différence de l'assimilateur, le profiteur s'adapte bien à tous les contextes, et n'a pas besoin d'être porté par une idéologie quelconque. Aux indigènes, ignorants de la valeur des objets étrangers, il vend cher et achète bon marché ; il utilise « les autres » en tant que main-d'œuvre au rabais, les exploitant sur place ou les important (parfois clandestinement) chez lui. Des autres, il ne sait que ce qui lui est indispensable pour s'en servir : il apprend à leur parler et à les convaincre. L'autre est pris dans un rapport pragmatique, il n'est jamais le but même de la relation. [...]

6. L'exote [2]. Dans notre existence quotidienne, les automatismes de la vie nous aveuglent : nous prenons pour naturel ce qui n'est que conventionnel, et l'habitude soustrait à la perception une multitude de gestes. L'étranger, lui, n'a pas ce handicap : ne partageant pas nos habitudes, il les perçoit au lieu de les subir ; pour lui nous ne sommes pas naturels, car il procède constamment par comparaison implicite avec son propre pays, ce qui lui donne le privilège de découvrir nos manques, c'est-à-dire ce qui ne se voit pas. Cette lucidité particulière a été relevée depuis longtemps (c'est celle, des Persans à Paris chez Montesquieu [3]) [...], équilibre instable entre surprise et familiarité, entre distanciation et identification. Le bonheur de l'exote est fragile : s'il ne connaît pas assez les autres, il ne

---

1. ***Victor Segalen*** (1878-1919) : poète, romancier, sinologue, ethnographe et grand voyageur français.

2. ***Exote*** : terme forgé par Victor Segalen.

3. Dans le roman épistolaire *Les Lettres persanes*, publié en 1721, qui donne à lire les lettres imaginaires de deux Persans découvrant Paris.

les comprend pas encore ; s'il les connaît trop, il ne les voit plus [...]. Aussitôt arrivé il doit se préparer à repartir. [...]

8. L'allégoriste. L'allégorie dit une chose, et en fait entendre une autre ; l'allégoriste parle d'un peuple (étranger) pour débattre d'autre chose que de ce peuple – d'un problème qui concerne l'allégoriste lui-même et sa propre culture. [...] L'image de l'autre chez l'allégoriste ne vient pas de l'observation, mais de l'inversion de traits qu'il trouve chez lui. [...]

10. Le philosophe. [...] Il y aurait [...] deux facettes du voyage philosophique : humilité et orgueil ; et deux mouvements : les leçons à prendre et les leçons à donner. Observer les différences : c'est un travail d'apprentissage, de reconnaissance de la diversité humaine. Telle est la vertu du voyage selon Montaigne : il nous offre le meilleur moyen de « frotter et limer notre cervelle contre celle d'autrui » (*Essais*, I, 26) ; et même si, pour Montaigne comme pour Michaux plus tard, le but est de se connaître soi-même, le voyage n'en est pas moins indispensable : c'est en explorant le monde qu'on va le plus au fond de soi. [...] Mais l'observation des différences n'est pas le but final ; elle n'est que le moyen pour découvrir les propriétés – des choses ou des êtres, des situations ou des institutions. Grâce à sa fréquentation de l'étranger, le philosophe a découvert les horizons universels (même s'ils ne le sont jamais définitivement), qui lui permettent, non seulement d'apprendre, mais aussi de juger. [...] Le philosophe est universaliste – comme l'était aussi l'assimilateur, à ceci près que, grâce à son observation attentive des différences, son universalisme n'est plus un simple ethnocentrisme ; et, habituellement, il se contente de porter des jugements et laisse aux autres le soin d'agir, de réparer les torts et d'améliorer les sorts.

Tzvetan Todorov, *Nous et les autres. La réflexion française sur la diversité humaine*, « La Couleur des idées », © Éditions du Seuil, 1989 ; rééd. coll. « Points Essais », 1992.

Questions

1. D'après les extraits proposés dans cette édition, replacez chacun des auteurs du parcours de lecture associé dans l'une des catégories identifiées par Tzvetan Todorov, en justifiant votre réponse.

2. Quel type de voyageur serait Montaigne selon vous ? Vous pouvez différencier plusieurs attitudes selon les passages des chapitres au programme.

3. À quel(s) type(s) de voyageur appartiennent les Européens décrits par Montaigne et par Diderot ?

L'anthropophagie[1] en question

(groupement de textes n° 2)

D'autres auteurs ont abordé la question de l'anthropophagie des peuples du Nouveau Monde. En 1578, dans son *Histoire d'un voyage fait en la terre du Brésil*, Jean de Léry décrit les scènes de cannibalisme auxquelles il a assisté, avant de développer une comparaison avec la France. Des siècles plus tard, Claude Lévi-Strauss s'appuie à son tour sur l'étude d'une tribu brésilienne anthropophage pour interroger la notion de barbarie dans *Tristes tropiques* (1955).

Jean de Léry, *Histoire d'un voyage fait en la terre du Brésil* (1578)

Ce récit est un témoignage du Français Jean de Léry qui effectua en 1557 un voyage de près d'un an dans la France antarctique, colonie française située dans la baie de l'actuelle Rio de Janeiro. Il y

1. ***Anthropophagie*** : voir note 4, p. 14.

raconte son expérience au contact de la tribu des Toüoupinambaoults (ou Tupinambas). Son ouvrage est l'une des sources sur lesquelles s'appuie Montaigne pour évoquer ce peuple. Après avoir décrit le moment où les Tupinambas demandent au prisonnier de se « défendre » en leur lançant des pierres, il évoque les étapes de la mise à mort et de la dévoration.

[A]près ces contestations, et le plus souvent tandis qu'ils se parlent encore, celui qui est là tout prêt à faire ce massacre, lève alors sa massue de bois avec les deux mains, et donne du rondeau qui est au bout un coup d'une si grande force sur la tête du pauvre prisonnier, qu'exactement de la même façon que les bouchers assomment les bœufs chez nous, j'en ai vu qui, du premier coup tombaient tout à fait raides morts, sans remuer ensuite bras ni jambe. […]

[L]es vieilles (qui plus désireuses de manger de la chair humaine que les jeunes sollicitent sans relâche tous ceux qui ont des prisonniers de les expédier ainsi rapidement) se présentant avec de l'eau chaude qu'elles ont toute prête, frottent et ébouillantent le corps mort de telle façon qu'en ayant enlevé la première peau, elles le rendent aussi blanc que les cuisiniers de chez nous rendent un cochon de lait prêt à rôtir.

Après cela, celui dont il était prisonnier, aidé d'autant d'autres qu'il lui plaira, prenant ce pauvre corps le fendront et le mettront si rapidement en pièces qu'il n'y a boucher de ce pays-ci qui puisse plus vite découper un mouton. Mais outre cela (ô cruauté plus que prodigieuse) exactement de la même manière que les chasseurs de chez nous après qu'ils ont pris un cerf en donnent la curée aux chiens, de la même manière ces barbares afin d'exciter d'autant plus leurs enfants et de les rendre acharnés, les prenant l'un après l'autre, ils leur frottent le corps, les bras, cuisses et jambes du sang de leur ennemi. […]

Alors, tous les morceaux du corps, et même les tripes après être bien nettoyées, sont immédiatement mis sur les *boucans*, auprès desquels, pendant que le tout cuit ainsi à leur mode, les vieilles femmes (qui comme j'ai dit ont un étonnant appétit de chair humaine) étant toutes assemblées pour recueillir la graisse qui dégoutte le long des bâtons de ces grandes et hautes grilles de bois, exhortant les hommes à faire en sorte qu'elles aient toujours de la viande de cette sorte, lèchent leurs doigts et disent « *Yguatou* », c'est-à-dire, il est bon. [...]

Quand la chair d'un prisonnier, ou de plusieurs (car ils en tuent quelquefois deux ou trois en un jour) est ainsi cuite, tous ceux qui ont assisté au spectacle du massacre se réjouissent de nouveau autour des *boucans*, sur lesquels avec coups d'œil et regards de fous ils contemplent les morceaux et les membres de leurs ennemis. Quel que soit leur nombre, chacun, s'il est possible, avant de sortir de là en aura son morceau. Non pas cependant, comme on pourrait le penser, qu'ils fassent cela pour se nourrir ; car bien que tous avouent que cette chair humaine est merveilleusement bonne et délicate, cependant, c'est plus par vengeance, que pour le goût qu'ils le font (hormis ce que j'ai dit à propos des vieilles femmes en particulier qui en sont si friandes). Leur principale intention est qu'en poursuivant et en rongeant ainsi les morts jusqu'aux os, ils suscitent par ce moyen la crainte et l'épouvante des vivants.

Jean de Léry, *Le Nouveau Monde*, Flammarion, coll. « Étonnants classiques », 2016, p. 68-69.

Questions

1. Quelles explications Jean de Léry donne-t-il à l'anthropophagie des Tupinambas ? Retrouver l'extrait où Montaigne atteste la même raison.

2. À votre avis, pourquoi Montaigne ne fait-il pas le tableau précis du rituel anthropophage dans sa description des mœurs amérindiennes ?

Il me semble que ce que j'en ai dit est assez pour faire sentir l'horreur et dresser à chacun les cheveux sur la tête. Néanmoins afin que ceux qui liront ces choses si horribles commises chaque jour parmi ces nations barbares du Brésil, pensent aussi un peu de près à ce qui se fait de notre côté parmi nous, je dirai en premier lieu sur ce sujet que si on considère à bon escient ce que font nos gros usuriers [1] (qui sucent le sang et la moelle et par conséquent mangent vivants tant de veuves, d'orphelins et d'autres pauvres personnes auxquelles il vaudrait mieux couper la gorge d'un coup que de les faire ainsi languir) on dira qu'ils sont encore plus cruels que les sauvages dont je parle. [...] Et sans aller plus loin, en la France quoi ? (Je suis français et cela me blesse de le dire) durant la sanglante tragédie qui commença à Paris le 24 août 1572 [2], dont je n'accuse point ceux qui n'en sont pas cause, entre autres actes horribles à raconter, qui se perpétuèrent alors à travers tout le royaume, la graisse des corps humains (qui d'une façon plus barbare et cruelle que celle des sauvages furent massacrés dans Lyon, après avoir été retirés de la rivière de la Saône) ne fut-elle pas publiquement vendue aux enchères au plus offrant ? Les foies, les cœurs et les autres parties des corps de quelques-uns ne furent-ils pas mangés par les meurtriers fous furieux, dont les enfers ont horreur ? De la même façon après qu'un nommé Cœur de Roy, faisant profession de la religion réformée [3] dans la ville d'Auxerre, fut misérablement massacré, ceux qui commirent ce meurtre ne découpèrent-ils pas son cœur en pièces, pour l'exposer et le vendre à ceux qui le haïssaient et qui finalement, l'ayant fait griller sur des charbons, assouvissant leur rage comme des chiens, en mangèrent ? Il y a encore des milliers de personnes en vie, qui témoigneront de ces choses qu'on n'avait jamais entendues

---

1. ***Usurier*** : personne qui prête de l'argent contre des objets d'une valeur bien plus grande que la somme prêtée, et qui exige un fort taux d'intérêt.
2. ***24 août 1572*** : date de la Saint-Barthélemy, où le pouvoir royal fit massacrer les protestants de France, faisant près de trois mille victimes.
3. ***Faisant profession de la religion réformée*** : se disant protestant.

auparavant parmi quelque peuple que ce soit, et les livres qui depuis longtemps les ont imprimées en feront foi pour la postérité. [...]

Par conséquent qu'on n'abhorre plus [1] tant désormais la cruauté des sauvages anthropophages, c'est-à-dire, mangeurs d'hommes, car puisqu'il y en a de semblables, voire de plus détestables et pires au milieu de nous, qu'eux qui, comme il a été vu, ne se jettent que sur les nations qui leur sont ennemies et qui se sont plongées dans le sang de leurs parents, voisins et compatriotes, il ne faut pas aller si loin qu'en leur pays ni qu'en l'Amérique pour voir des choses aussi monstrueuses ni aussi prodigieuses.

Jean de Léry, *Le Nouveau Monde*, Flammarion, coll. « Étonnants classiques », 2016, p. 70-71.

Questions

1. Quels sentiments Jean de Léry cherche-t-il éveiller chez son lecteur en décrivant les rituels anthropophages des Tupinambas ?

2. Quelle thématique est abordée par l'auteur dans la seconde partie de cet extrait ? Dans quel but se sert-il de la description les mœurs lointaines des Amérindiens ?

3. Dans le chapitre « Des cannibales », retrouvez le passage dans lequel Montaigne établit la même comparaison entre les Amérindiens et les Français. De quel côté se situe la barbarie selon lui ? Vous citerez la phrase du texte qui exprime son jugement.

Claude Lévi-Strauss, *Tristes tropiques* (1955)

Claude Lévi-Strauss est un anthropologue français qui a contribué à la naissance de l'ethnologie moderne. Dans *Tristes tropiques*, il témoigne de son travail auprès des Amérindiens du Brésil et livre ses réflexions sur la relativité des cultures humaines. Il s'interroge ici sur le rejet occidental des mœurs jugées « barbares ».

---

1. ***Qu'on n'abhorre plus*** : qu'on ne déteste plus, qu'on n'ait plus en horreur.

[…] [C]es réactions à fleur de peau ne résistent pas à une appréciation correcte des faits et à leur rétablissement dans une perspective élargie. Prenons le cas de l'anthropophagie qui, de toutes les pratiques sauvages, est sans doute celle qui nous inspire le plus d'horreur et de dégoût. On devra d'abord en dissocier les formes proprement alimentaires, c'est-à-dire celles où l'appétit pour la chair humaine s'explique par la carence [1] d'autre nourriture animale […]. Restent alors les formes d'anthropophagie qu'on peut appeler positives, celles qui relèvent de causes mystique, magique ou religieuse : ainsi l'ingestion [2] d'une parcelle du corps d'un ascendant ou fragment d'un cadavre ennemi pour permettre l'incorporation de ses vertus ou encore la neutralisation de son pouvoir ; outre que de tels rites s'accomplissent le plus souvent de manière fort discrète, portant sur de menues quantités de matière organique pulvérisée, ou mêlée à d'autres aliments, on reconnaîtra, même quand elles relèvent des formes plus franches, que la condamnation morale de telles coutumes implique soit une croyance dans la résurrection corporelle qui serait compromise par la destruction matérielle du cadavre, soit l'affirmation d'un lien entre l'âme et le corps et le dualisme correspondant, c'est-à-dire des convictions qui sont de même nature que celles au nom desquelles la consommation rituelle est pratiquée et que nous n'avons pas de raison de leur préférer. D'autant plus que la désinvolture vis-à-vis de la mémoire du défunt, dont nous pourrions faire grief [3] au cannibalisme, n'est certainement pas plus grande, bien au contraire, que celle que nous tolérons dans les amphithéâtres de dissection. Mais surtout, nous devons nous persuader que certains usages qui nous sont propres, considérés par un observateur relevant d'une société différente, lui apparaîtraient de même nature que cette anthropophagie qui nous semble étrangère à la notion de civilisation. Je pense à nos coutumes judiciaires et

1. ***La carence*** : le manque.
2. ***L'ingestion*** : la consommation.
3. ***Faire grief*** : faire reproche.

pénitentiaires. À les étudier du dehors, on serait tenté d'opposer deux types de sociétés : celles qui pratiquent l'anthropophagie, c'est-à-dire qui voient dans l'absorption de certains individus détenteurs de forces redoutables le seul moyen de neutraliser celles-ci, et même de les mettre à profit ; et celles qui, comme la nôtre, adoptent ce qu'on pourrait appeler l'anthropémie (du grec *emein*, vomir) ; placées devant le même problème, elles ont choisi la solution inverse, consistant à expulser ces êtres redoutables hors du corps social en les tenant temporairement ou définitivement isolés, sans contact avec l'humanité, dans des établissements destinés à cet usage. À la plupart des sociétés que nous appelons primitives, cette coutume inspirerait une horreur profonde ; elle nous marquerait à leurs yeux de la même barbarie que nous serions tentés de leur imputer [1] en raison de leurs coutumes symétriques.

Claude Lévi-Strauss, *Tristes tropiques*, © Plon, Un département de Place des Éditeurs, coll. « Terre humaine », 1955.

Questions

1. Claude Lévi-Strauss distingue deux types de pratiques anthropophagiques ; lesquels ? Quelles sont les causes de chacun d'entre eux ?

2. À quelle pratique européenne compare-t-il l'anthropophagie ?

3. À quelle tradition sociale des Européens fait-il allusion lorsqu'il évoque le fait d'« expulser ces êtres redoutables hors du corps social » ?

4. Selon lui, quelles impressions ces pratiques européennes éveilleraient-elles chez les sociétés dites « primitives » ? Vous répondrez en citant le texte.

---

1. ***Que nous serions tentés de leur imputer*** : dont nous serions tentés de les accuser.

Vers l'écrit du bac

Séries technologiques

Contraction de texte

Vous réaliserez la contraction du texte de Claude Lévi-Strauss.

Essai

Sujet 1 : Selon vous, peut-on vraiment rencontrer l'autre ? Si oui, à quelles conditions ?
Sujet 2 : Quels apports peut-on tirer de la rencontre d'une autre civilisation ?

Séries générales

Sujets de dissertation

Pour traiter chacun des sujets suivants, vous vous appuierez sur les chapitres « Des cannibales » et « Des coches », ainsi que sur le parcours associé « Notre monde vient d'en trouver un autre » (p. 173-188).

Sujet 1 : Dans *Tristes tropiques*, Claude Lévi-Strauss déclare : « Si l'Occident a produit des ethnologues, c'est qu'un bien puissant remords devait le tourmenter, l'obligeant à confronter son image à celles des sociétés différentes dans l'espoir qu'elles réfléchiront les mêmes tares ou l'aideront à expliquer comment les siennes se sont développées dans son sein. » Les œuvres étudiées confirment-elles cette affirmation ?

Sujet 2 : « Je n'ai point cette erreur commune de juger d'un autre selon ce que je suis » déclare Montaigne dans « Du jeune Caton » (*Essais*, I, 37). Cette citation vous semble-t-elle rendre compte de votre lecture des chapitres « Des coches » et « Des cannibales » ?

Cet ouvrage a été mis en pages par

N° d'édition : L.01EHRN000630.A008
Dépôt légal : juin 2019
Imprimé en Espagne par Novoprint (Barcelone)